COMPÉTENCES

EXPRESSION ORALE

AMÉRIQUE DU NORD

Michèle Barféty - Patricia Beaujoin
Fabien Olivry - Denis Liakin

B1

CLE
INTERNATIONAL
www.cle-inter.com

Direction éditoriale : Béatrice Rego
Édition : Dulce Gamonal
Marketing : Thierry Lucas
Illustrations : Pascale Collange et Christine Hautin-Royer; Virginie Royer pour la couleur
Enregistrements : le vilain studio
Couverture : Dagmar Stahringer
Mise en pages : Domino
© CLE International 2019
ISBN : 978-2-09-035176-7

Imprimé en France, en mai 2019, par l'Imprimerie Chirat
N° de projet : 10252182 - Dépôt légal : mai 2019 - N° 201904.0385

AVANT-PROPOS

//

Cet ouvrage d'expression orale s'adresse à des apprenants adultes et adolescents totalisant au moins 180 heures de français. Il propose des outils et des activités pour les mettre en pratique. Il permet de développer les compétences de l'apprenant dans l'interaction comme dans le monologue suivi. Il met en contact l'apprenant avec des documents sonores enregistrés par d'authentiques locuteurs québécois afin de favoriser son intégration et ses interactions dans un contexte canadien francophone. Il prépare l'apprenant aux épreuves orales des niveaux 5 et 6 des Niveaux de compétence en langue canadiens (niveau B1 du Cadre européen commun de référence pour les langues).

Tous les documents proposés, sonores, iconographiques ou écrits, ont pour objectif de **donner des outils et d'entrainer l'apprenant à dialoguer, à présenter ses idées de façon claire et cohérente et à débattre**.

L'ouvrage se compose de 5 unités de 3 leçons chacune.
Chaque leçon comprend trois doubles pages.
• Les deux premières doubles pages proposent **des modèles, des outils lexicaux et grammaticaux et des activités de production** autour d'un acte de parole déterminé. Dans le cadre de ces deux doubles pages, la difficulté des activités est progressive et les supports sont variés. L'apprenant commence par repérer les outils communicatifs, puis il les utilise à son tour dans ses prises de parole, de plus en plus librement au fil des activités.
De nombreuses photos permettent de stimuler la créativité et de dynamiser la prise de parole.
Cette partie vise à **préparer l'apprenant au dialogue et au débat**.
• La troisième double page propose **un document écrit, des activités et des outils méthodologiques pour entrainer l'apprenant au monologue et au débat**.
• À la fin de chaque unité, un bilan permet de contrôler si les outils proposés, lexicaux, grammaticaux ou méthodologiques, sont acquis.
L'apprenant est ainsi parfaitement préparé aux différents types d'épreuves qu'il est susceptible de rencontrer lors des examens oraux ou dans des situations de la vie courante.
Ce manuel d'exercices d'entrainement à l'expression orale est accompagné de documents sonores téléchargeables sur l'espace digital competences.cle-international. com. Il peut être utilisé en classe, en complément de la méthode de FLS habituelle ou dans tout autre contexte d'apprentissage. Les transcriptions des enregistrements et des propositions de corrigés des exercices sont fournies à la fin du manuel.

MODE D'EMPLOI

//

LES ACTIVITÉS PROPOSÉES

• Devinez.

À partir des éléments donnés, les apprenants doivent trouver le mot qui répond à toutes les propositions. Quand la solution a été trouvée, ils élaborent, à leur tour, une devinette et la soumettent aux autres apprenants.

• Discutez.

Les apprenants doivent discuter ensemble, par deux ou en groupe, sur les sujets proposés à travers des textes, des photos ou des dessins. Dans certains cas, des questions permettent de préparer le débat. La discussion doit se faire en interaction entre les apprenants, si possible sans l'intervention de l'enseignant.

• Donnez la réplique.

Cette activité se fait par deux ou en chaine pour un petit groupe. La première personne doit lire la phrase proposée dans l'exercice. Elle doit respecter l'intonation de la phrase. La deuxième doit imaginer la phrase suivante. En général, l'apprenant doit utiliser, dans sa production, une structure particulière ou un temps déterminé.

• Écoutez et répondez.

Les apprenants doivent écouter un dialogue, puis ils doivent répondre aux questions posées sur ce document.

• En groupe, imaginez la situation.

À partir des éléments du dialogue, les apprenants doivent imaginer le contexte de la situation, ce qui s'est éventuellement passé avant et ce qui peut se passer après.

• Préparez-vous à l'épreuve d'expression orale.

À partir du texte proposé dans l'activité précédente, les apprenants doivent s'entrainer à dégager le thème du document, puis ils doivent relever les idées qui les intéressent, ensuite ils doivent chercher des idées personnelles et les organiser pour les présenter aux autres. Pour l'entrainement à l'épreuve, cette préparation peut se faire à deux. Cela permet d'encourager la prise de parole et de stimuler la production d'idées. Chaque monologue suivi peut être présenté par deux ou trois équipes, ce qui peut conduire à une analyse critique des différentes présentations par l'ensemble du groupe.
Enfin, chacun doit donner son avis sur le sujet, écouter celui des autres apprenants et discuter avec eux pour tenter de les convaincre.

• Faites passer la parole.

Les apprenants doivent utiliser les modèles proposés pour faire des minidialogues de deux ou trois phrases. Le travail peut se faire en chaine : la première personne avec la deuxième, la deuxième avec la troisième, etc.

• Imaginez.

Par deux ou en groupe, les apprenants doivent imaginer une petite histoire ou une conversation à partir de dessins ou de photos, confronter leur version avec celle des autres apprenants et en discuter.

• Informez-vous.

Les apprenants doivent lire le texte proposé et préparer des questions sur le document. Ensuite, ils poseront leurs questions et répondront à celles des autres apprenants pour vérifier leur compréhension.

• Informez-vous et discutez.

Les apprenants doivent écouter un dialogue, prendre des notes, puis discuter avec les autres apprenants sur le contenu du document, pour contrôler leur compréhension.

• Interprétez, par deux, trois... ou en groupe.

À partir d'une photo ou d'une situation clairement présentée, les apprenants doivent choisir un rôle, préparer leur production et jouer ce rôle avec les autres apprenants.

Dans certains cas, ils sont amenés à discuter en groupe classe pour choisir les meilleures idées proposées dans le jeu de rôle.

• Par deux, échangez des informations.

Chaque apprenant doit compléter sa fiche, puis il doit poser ses questions ou faire ses propositions à son ou sa partenaire et lui répondre à son tour. L'activité doit se faire sous forme de dialogue.

• Par deux, jouez la scène.

Cette activité se fait à partir de deux supports différents.

– À partir d'un dialogue : deux apprenants doivent jouer la scène entendue sans lire le dialogue. Ils doivent se mettre en situation : debout, assis, face à face...

– À partir d'un dessin ou d'une photo et d'une situation clairement présentée. Chaque apprenant choisit un rôle et joue la scène avec son ou sa partenaire.

• Répétez.

Cette activité a pour objectif de permettre à l'apprenant de s'approprier différentes formes pour exprimer une même idée. L'apprenant doit être particulièrement attentif à la prononciation et à l'intonation de chaque phrase.

L'utilisation du signe * devant un mot signifie que ce mot appartient au registre familier.

SOMMAIRE

UNITÉ 4 *Faire entendre sa voix*

UNITÉ 5 *Pour en savoir plus*

OUTILS GRAMMATICAUX : La cause : *parce que, à cause de, grâce à, puisque.*
OUTILS COMMUNICATIFS : Exprimer son hésitation. Demander à quelqu'un de prendre une décision. Demander à quelqu'un de faire un choix. Demander à quelqu'un ce qu'il veut.
MÉTHODOLOGIE : Présenter le thème et les idées principales du document.

// ESPACE DIGITAL 🎧 2
competences.cle-international.com

1. Écoutez et répondez.

Quel est le point commun de tous ces dialogues?

• Notez les mots ou les phrases qui expriment ce point commun.

....

....

....

....

// ESPACE DIGITAL 🎧 3
competences.cle-international.com

2. Répétez.

• Attention à l'intonation!

3. En groupe, imaginez la situation.

• Pour chaque minidialogue, imaginez la situation, où se passe la scène et qui parle.

....

....

• Discutez avec les autres apprenants pour vous mettre d'accord.

4. Par deux, jouez la scène.

• Jouez la scène avec votre partenaire. Ajoutez des éléments complémentaires.
• N'oubliez pas d'utiliser les outils.

OUTILS

Exprimer son hésitation
• J'hésite – Je n'arrive pas à me décider – Je vais voir – Je vais réfléchir.
• Je ne sais pas trop – Je ne suis pas très sûr/sure – Je ne sais pas quoi faire / dire / penser...
• Je me demande si c'est une bonne idée – Euh..., bof..., c'est-à-dire...

Demander à quelqu'un de prendre une décision
• Alors, qu'est-ce que tu décides (vous décidez)? – Alors, tu te décides (vous vous décidez)?
• Alors, qu'est-ce que tu veux (vous voulez)? Tu sais ce que tu veux? – Vous savez ce que vous voulez?
Tu veux ou tu ne veux pas? – Vous voulez ou vous ne voulez pas? – C'est oui ou c'est non?

5. Faites passer la parole.

• Comme dans les exemples, imaginez une situation en trois répliques.

Exemples : *A : Tu veux lire ce livre, oui ou non?*

       B : Bof, je ne sais pas trop, je me demande si c'est une bonne idée.

       A : Bon, tu te décides ou je le prête à ma sœur?

B – Tu vas acheter le pain ou j'y vais?

C – *Ben... j'hésite, je n'ai pas beaucoup de temps. Je vais réfléchir.

B – Bon, c'est oui ou c'est non?

ESPACE DIGITAL
competences.cle-international.com 4

6. Informez-vous et discutez.

1. Qu'est-ce qu'il propose?

2. Comment réagit-elle?

3. Quelles raisons donne-t-elle pour refuser les propositions?

4. Que vont-ils faire finalement?

• Prenez des notes.

....

....

....

• Discutez avec les autres apprenants pour vérifier ou compléter vos informations.

7. Par deux, jouez la scène.

Mathieu: Laura! Tu as envie d'aller au cinéma ce soir?

Laura: Bof!...

OUTILS

Demander à quelqu'un de faire un choix

• Qu'est-ce que tu préfères : le cinéma ou le théâtre? Danser ou chanter?
• Qu'est-ce qui te plait le plus?
• Qu'est-ce que tu aimes le mieux?
• Entre un gâteau et une crème glacée, qu'est-ce que tu choisis? Choisis!
• Qu'est-ce qui t'intéresse le plus, le sport ou la musique? Courir ou nager?

8. Par deux, échangez des informations.

• Choisissez chacun une fiche et préparez vos questions.
• Demandez à votre partenaire de choisir entre deux objets ou deux actions.
• Répondez à ses questions, justifiez votre choix.
• Faites l'exercice sous forme de dialogue. Utilisez les outils.

FICHE A	FICHE B
Alors **qu'est-ce que tu veux?** Un chien ou un chat?	Six jours à San Francisco, d'accord? **C'est oui ou c'est non?**
....	....
....	....
....	....
....	....
....	....
....	....
....	....
....	....
....	....

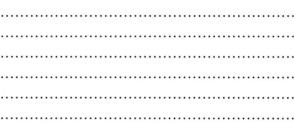

LEÇON 1 **FAIRE DES CHOIX** *2. Interpréter*

9. Informez-vous et discutez.

• Écoutez le dialogue et répondez aux questions.

1. Quelle relation y a-t-il entre les deux personnes?

2. Quel est le sujet de leur conversation?

3. Quelles propositions fait-elle?

4. Qu'en pense-t-il?

• Prenez des notes.

....

....

....

....

....

....

....

....

....

• Discutez avec les autres apprenants pour vérifier ou compléter vos informations.

10. Par deux, jouez la scène.

Une femme :   Alors, mon cœur, qu'est-ce que tu veux pour ta fête?

Un homme :   Ma fête? Ah oui...

OUTILS

Demander à quelqu'un ce qu'il veut
• Qu'est-ce que tu veux? Qu'est-ce que tu **voudrais**? – Qu'est-ce que vous **voudriez?**
• Qu'est-ce que tu **aimerais**? – Qu'est-ce que vous **aimeriez**?
• Qu'est-ce qui te **ferait** plaisir? – Qu'est-ce qui vous **ferait** plaisir?
• De quoi as-tu envie? De quoi **aurais**-tu envie? – De quoi **auriez**-vous envie?

La cause pour expliquer
Pourquoi est-elle fatiguée?
• Elle est fatiguée **parce qu'**elle a trop travaillé.
• Elle est fatiguée **à cause de** son travail. **À cause de** + nom ⇒ cause **négative**.
Pourquoi a-t-il acheté cette maison?
• Il a acheté cette maison **parce qu'**il a gagné au Lotto 6/49.
• Il a acheté cette maison **grâce au** Lotto 6/49. **Grâce à** + nom ⇒ cause **positive**.

La cause pour argumenter
• Puisqu'elle est fatiguée, elle doit se reposer.
• Il peut arrêter de travailler **puisqu'**il a gagné au Lotto 6/49. **Puisque** + cause connue.

11. Donnez la réplique.

• Un(e) apprenant(e) lit la première phrase.

• Son ou sa partenaire lui donne la réplique.

Exemples :   *A : J'ai faim.*

           B : Tu as faim parce que tu n'as pas mangé ce matin.

           ou : Tu as faim à cause de ton régime.

           ou : Puisque tu as faim, va t'acheter un bagel.

Premières phrases :

Je vais chez le médecin. – Il fait froid ici. – Je ne comprends pas la leçon. – Tu parles bien français.

• Imaginez d'autres phrases pour continuer l'exercice.

12. Interprétez.

• La famille Lebrun-Desmarais doit choisir où passer ses prochaines vacances.
Vous faites partie de cette famille : Léo, Alexandre, Mélanie, Emma, Gérard
et Martine.

• Par petits groupes, choisissez des rôles et dites où vous préférez
aller en vacances. Expliquez et justifiez vos choix.

• Vous pouvez choisir l'une des propositions ci-dessous ou faire
une autre proposition.

• En groupe classe, discutez et choisissez les meilleures propositions de vacances.

13. Informez-vous.

• Lisez le texte.

> ### Faites du sport!
>
> La pratique d'une activité sportive est bonne à tout âge et pour tout le monde. Outre le bénéfice certain pour la santé, le sport peut apporter également du plaisir. De nombreuses possibilités s'offrent aux intéressés, mais il faut d'abord se décider entre sport individuel ou collectif. Chacun va choisir selon son caractère et ses besoins. Certains préfèrent aller à leur rythme, tester leur force, leurs limites et se concentrer sur le travail de leur corps. D'autres aiment mieux faire un sport qui est aussi un jeu, ils veulent s'amuser. Faire partie d'une équipe est également un critère de choix. Cela aide à se motiver, à progresser, à se faire des amis. Il reste encore à choisir le sport lui-même. Au Canada, le plus souvent, les femmes pratiquent soit la natation, soit le soccer. Les hommes préfèrent le hockey ou le golf. Et vous?

• Préparez des questions sur le texte pour vérifier votre compréhension.

....

....

....

• Posez vos questions et répondez aux questions des autres apprenants.

14. Discutez.

• Répondez aux questions pour préparer la discussion.

• Donnez votre opinion. Discutez avec les autres apprenants.

1. Quel sport est le mieux adapté pour une personne âgée / un enfant de quatre ans?

....

2. Pensez-vous que certains sports devraient être interdits? Pourquoi?

....

3. Quels sont tous les bienfaits du sport?

....

OUTILS

MÉTHODOLOGIE – Présenter le thème et les idées principales du document

Pour le monologue suivi, vous devez présenter clairement le thème du document et ses idées principales.

• <u>Présenter le thème</u> :

Ce document **parle de /** ce document **traite de**...+ nom

Dans ce document, **il s'agit de**...+ nom

*Exemple : Ce document **parle** / **traite du** sport / **de la** nécessité de faire du sport.*

Dans ce document, **il s'agit du** sport / **de la** nécessité de faire du sport.

• <u>Présenter l'idée principale</u> :

L'auteur du document **dit que** + phrase / **montre** / **évoque** + nom

*Exemple : L'auteur du document **dit qu'il faut** bien choisir son sport. / **montre** / **évoque l'importance** de bien choisir son sport.*

15. Préparez-vous à l'épreuve d'expression orale.

Par deux.

• Dégagez le thème de ce document.

....

• Relevez les idées du texte que vous utiliserez dans votre présentation.

• Cherchez des idées personnelles complémentaires.

• Organisez toutes les idées retenues.

En groupe classe.

• Présentez le thème et les idées que vous avez préparées.

• Discutez avec les autres apprenants pour donner votre avis sur le sujet.

16. Discutez.

La compétition est-elle bénéfique à la pratique du sport ou détruit-elle au contraire l'esprit du sport?

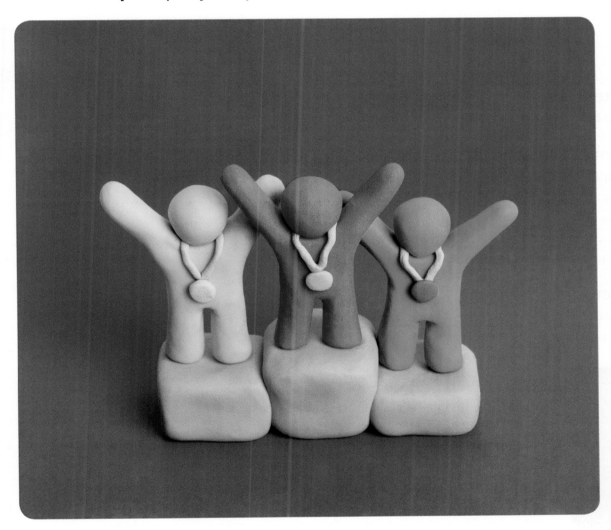

• Et vous, êtes-vous pour ou contre la compétition?

• Formez des petits groupes d'apprenants qui ont fait le même choix, discutez et trouvez des arguments pour soutenir votre position.

• En groupe classe, expliquez les raisons de votre choix, écoutez les choix des autres apprenants.

• Discutez avec les autres apprenants. Exprimez votre opinion. Écoutez celle des autres.

• Essayez de convaincre ceux qui ne sont pas de votre avis.

OUTILS GRAMMATICAUX : Le futur simple. La condition avec « si ».
OUTILS COMMUNICATIFS : Parler de ses projets. Émettre des hypothèses.
MÉTHODOLOGIE : Repérer les idées importantes du document.

///

ESPACE DIGITAL 🎧 6
competences.cle-international.com

1. Écoutez et répondez.

Quel est le point commun de tous ces dialogues?

• Notez les mots ou les phrases qui expriment ce point commun.

....

....

....

///

ESPACE DIGITAL 🎧 7
competences.cle-international.com

2. Répétez.

• Attention à l'intonation!

3. En groupe, imaginez la situation.

• Pour chaque minidialogue, imaginez de quoi ils parlent et la suite de la conversation.

....

....

....

• Discutez avec les autres apprenants pour vous mettre d'accord.

4. Par deux, jouez la scène.

• Jouez la scène avec votre partenaire. Ajoutez des éléments complémentaires.

• N'oubliez pas d'utiliser les outils.

Parler de ses projets

• Je pense / je compte / je compte bien... faire quelque chose.
• J'ai l'intention **de** / j'ai prévu **de**... faire quelque chose.
• Je pense **que**... je ferai quelque chose. Peut-être **que**... je ferai quelque chose. (*Je pense que..., peut-être que...* + phrase au futur).

Le futur simple

• **Le radical :** l'infinitif pour les verbes en *er et ir* : chanter : je **chanter**ai; et dormir : je **dormir**ai. Pour les verbes en *re*, l'infinitif sans e : lir**e** : je **lir**ai, prendr**e** : je **prend**rai, boir**e** : je **boir**ai.
• **Les terminaisons :** *-ai, -as, -a, -ons, -ez, -ont.*

je parler**ai**, tu sortir**as**, il/elle/on écrir**a**, nous répondr**ons**, vous regarder**ez**, ils/elles prendr**ont**.

• **Les verbes irréguliers**

Être	Je ser**ai**	**Vouloir**	Je voudr**ai**	**Devoir**	Je devr**ai**	**Voir**	Je verr**ai**
Avoir	J'aur**ai**	**Pouvoir**	Je pourr**ai**	**Savoir**	Je saur**ai**	**Envoyer**	J'enverr**ai**
Faire	Je fer**ai**	**Venir**	Je viendr**ai**	**Courir**	Je courr**ai**	**Recevoir**	Je recevr**ai**
Aller	J'ir**ai**	**Tenir**	Je tiendr**ai**	**Mourir**	Je mourr**ai**	**Il faut**	**Il faudra**

OUTILS

5. Faites passer la parole.

• Comme dans les exemples, imaginez une situation en trois répliques.

Exemples :   *A : Qu'est-ce que tu penses faire demain ?*

          B : J'ai l'intention d'aller au cinéma. Et toi ?

          A : Peut-être que j'irai à la patinoire avec Pascale.

          B : Tu sais ce que tu feras à Noël ?

          C : Je compte aller chez mes parents. Et toi ?

          B : Moi, j'ai prévu d'aller faire du ski à la montagne.

ESPACE DIGITAL   8
competences.cle-international.com

6. Informez-vous et discutez.

• Écoutez le dialogue et répondez aux questions.

1. Imaginez : quelle est la relation entre les deux personnes ?

2. Quels sont les projets de la femme ?

3. Quels sont les projets de l'homme ?

• Prenez des notes.

....

....

....

• Discutez avec les autres apprenants pour vérifier ou compléter vos informations.

7. Par deux, jouez la scène.

Une femme :   Ah enfin, la semaine est finie ! Je suis fatiguée. J'ai l'intention de faire la grasse matinée demain.

Un homme :   Et après, qu'est-ce que...

8. Par deux, échangez des informations.

• Écrivez sur votre fiche la liste de vos projets pour chaque moment proposé.

• Posez des questions à votre partenaire sur ce qu'il fera aux moments proposés dans la fiche.

• Répondez à ses questions. Utilisez les outils.

FICHE A	**FICHE B**
Ce soir, **je pense** rester chez moi et me coucher tôt.	Ce soir, **je compte bien** aller dans un club, j'ai envie de danser.
Dimanche prochain, ...	Dimanche prochain, ...
Pendant les vacances d'été, ...	Pendant les vacances d'été, ...
Pour ma fête, ...	Pour ma fête, ...
Le 31 décembre, ...	Le 31 décembre, ...

9. Par trois, jouez la scène.

• Camille, Sélim et Estelle ont terminé leurs études et imaginent leur vie dix ans plus tard. Choisissez un rôle parmi les personnes de la photo.

• Ils disent à tour de rôle ce qu'ils feront ou seront dans dix ans.

• Les autres donnent leur avis sur ce projet de vie.

• Utilisez les outils ci-dessous.

Exemple :   A : *Moi, j'aurai un bateau et je ferai le tour du monde.*
           B : *Si tu as un bateau, tu viendras me voir à Halifax.*

Camille :	**Sélim :**	**Estelle :**

OUTILS

La condition avec « si »

• **Condition réalisable** : on utilise le **présent après « si »** et le **futur** dans la phrase suivante.
*S'il habite à la campagne, **on n'ira pas** le voir souvent.*
Si + il = s'il.

• **Sinon** = si cela ne se réalise pas.
*Si je gagne assez d'argent, j'achèterai une grande maison. **Sinon**, j'achèterai un condo.*
Sinon = si je ne gagne pas assez d'argent.

10. Imaginez.

• Que ferez-vous si…?

• Continuez cette série de phrases [une phrase par apprenant(e)].

S'il pleut dimanche, j'irai au cinéma.

Si je vais au cinéma, je choisirai un film comique.

Si je choisis un film comique, je rirai beaucoup.

Si je ris beaucoup…

11. Donnez la réplique.

• Un(e) apprenant(e) lit la première phrase.

• Son ou sa partenaire lui donne la réplique.

Exemple :   A : *Je vais aller à Québec.*

B : *Si tu vas à Québec, tu visiteras le Petit Champlain.*

Premières phrases :

On prend la voiture ? – Je n'ai pas envie de sortir. – On sort ? – Il commence à pleuvoir.

• Imaginez d'autres phrases pour continuer l'exercice.

12. En groupe, discutez.

• Vous organisez une grande fête pour l'anniversaire de votre meilleure amie.

• Regardez les propositions de cadeaux que vous pouvez lui faire et d'activités que vous pouvez organiser.

• Mettez-vous d'accord pour compléter les cases « Votre choix ? » en proposant d'autres cadeaux ou d'autres activités.

• Faites des propositions de cadeaux et dites ce que votre amie pourra faire avec cet objet. Faites également des propositions d'activités, dites comment vous les organiserez et ce que vous ferez plus précisément.

• Discutez pour choisir le meilleur cadeau et la meilleure activité.

13. Informez-vous.

• Lisez le texte.

Que choisir pour avoir un bon travail?

C'est la question que les jeunes se posent en fin de scolarité. Études longues, études courtes ou pas d'études du tout? La réponse n'est pas facile à notre époque où les choix de carrière se multiplient. Certains pensent qu'il vaut mieux entrer le plus tôt possible dans la vie active et se former progressivement pour faire évoluer sa carrière. Mais avec un très bon diplôme (cinq ans d'études au minimum), on peut être embauché(e) à un poste convenable et avoir un bon salaire assez rapidement, même s'il faut quelquefois attendre plusieurs mois avant le premier emploi. Il existe également des études courtes, d'un à trois ans, qui donnent une formation très technique. Cette formation permet aux jeunes d'être tout de suite efficaces à leur poste et de trouver un emploi très rapidement après la fin des études.

• Préparez des questions sur le texte pour vérifier votre compréhension.

....

....

....

• Posez vos questions et répondez aux questions des autres apprenants.

14. Discutez.

• Répondez aux questions pour préparer la discussion.

• Donnez votre opinion. Discutez avec les autres apprenants.

1. Quelles études donnent plus de chance de trouver un travail? Études littéraires, scientifiques, techniques?

....

2. Est-il bon de continuer à étudier tout en travaillant?

....

3. Que pensez-vous des stages en entreprise proposés aux jeunes à la fin de leurs études?

....

MÉTHODOLOGIE – Repérer les idées importantes du document

• <u>Pour repérer les idées du document</u>, il faut bien lire le texte et analyser sa structure.

Exemple : « Des études longues, des études courtes ou pas d'études du tout ? ».

Cette phrase vous donne un plan possible en trois parties. Vous avez des informations sur chacune d'elles dans le document.

1. pas d'études : « Certains pensent .... carrière ».

2. études longues : « Mais avec un très bon .... le premier emploi ».

3. études courtes : « Il existe également .... la fin des études ».

Ces idées sont un bon point de départ pour votre réflexion, vous pouvez les expliquer, puis les développer et apporter des idées plus personnelles.

OUTILS

15. Préparez-vous à l'épreuve d'expression orale.

Par deux.

- Dégagez le thème de ce document.

....

- Relevez les idées du texte que vous utiliserez dans votre présentation.
- Cherchez des idées personnelles complémentaires.
- Organisez toutes les idées retenues.

En groupe classe.

- Présentez le thème et les idées que vous avez préparées.
- Discutez avec les autres apprenants pour donner votre avis sur le sujet.

16. Discutez.

Quels sont les critères qui aident les jeunes à choisir une profession? La passion, l'argent, le pouvoir, la créativité, l'envie d'aider les autres...

- Observez ces photos. Qu'est-ce qu'elles suggèrent à propos du choix d'une profession?
- Choisissez une photo et expliquez la raison pour laquelle quelqu'un choisit cette profession.
- Trouvez un autre critère de choix et imaginez une photo qui pourra l'illustrer.
- Discutez avec les autres apprenants. Exprimez votre opinion. Écoutez celle des autres.

Essayez de convaincre ceux qui ne sont pas de votre avis.

EXPRIMER SON INTÉRÊT

1. Imiter

OUTILS GRAMMATICAUX : La phrase exclamative. Les adjectifs et pronoms interrogatifs.
OUTILS COMMUNICATIFS : Exprimer son émotion, son sentiment. Exprimer son indifférence.
Poser des questions pour faire un choix.
MÉTHODOLOGIE : Reformuler.

//

ESPACE DIGITAL 9
competences.cle-international.com

1. Écoutez et répondez.

Quel est le sentiment commun exprimé dans tous ces dialogues?

• Notez les mots ou les phrases qui expriment ce point commun.

....

....

//

ESPACE DIGITAL 10
competences.cle-international.com

2. Répétez.

• Attention à l'intonation!

3. En groupe, imaginez la situation.

• Pour chaque minidialogue, imaginez de quoi ils parlent et le début de leur conversation.

....

....

....

• Discutez avec les autres apprenants pour vous mettre d'accord.

4. Par deux, jouez la scène.

• Jouez la scène avec un(e) partenaire. Ajoutez des éléments complémentaires.

• N'oubliez pas d'utiliser les outils.

OUTILS

Exprimer son émotion, son sentiment. La phrase exclamative

• **Comme/que** + une phrase exclamative.
***Comme** il est fort! **Comme** c'est beau! / **Qu'**il est fort! **Que** c'est beau!*
• ***Qu'est-ce que** / *Ce que* + une phrase exclamative (langue orale).
***Qu'est-ce qu'**elle est bonne, cette crème glacée! / *Ce qu'**elle est bonne, cette crème glacée!*
• **Quel / quels / quelle / quelles** + nom
***Quel** courage! **Quelle** intelligence! **Quels** amis extraordinaires! **Quelles** jolies fleurs!*

5. Faites passer la parole.

• Comme dans les exemples, imaginez une situation en trois répliques.

Exemples : A : *Regarde la voiture rouge là-bas, elle est à moi.*

B : *Quelle belle voiture!*

A : *Oui, et *qu'est-ce qu'elle est pratique! Je peux me stationner partout avec elle.*

B : *Comme tu es bien habillé! Où tu vas?*

C : *Au mariage de mon cousin. Et tu as vu quelle belle cravate j'ai mise?*

B : *Magnifique, elle te va très bien!*

6. Informez-vous et discutez.

1. Pourquoi les deux personnes se préparent-elles?

2. Qu'est-ce que la femme va mettre?

3. Qu'est-ce que l'homme va porter?

• Prenez des notes.

....

....

....

• Discutez avec les autres apprenants pour vérifier ou compléter vos informations.

7. Par deux, jouez la scène.

Un homme : Isabelle, quelle robe vas-tu mettre ce soir?

Isabelle : Je ne sais pas... Laquelle...

OUTILS

Poser des questions pour faire un choix. Les adjectifs et les pronoms interrogatifs

• Les adjectifs interrogatifs : **quel, quelle, quels, quelles** + nom.
Quel livre préfères-tu? Quelle langue apprends-tu?
Quels livres as-tu lus? Quelles langues parles-tu?
• Les pronoms interrogatifs : **lequel, laquelle, lesquels, lesquelles.**
Regarde ces livres, lequel préfères-tu? – Ces tartes sont magnifiques, laquelle voulez-vous manger?
Tu as 15 amis! Lesquels vois-tu le plus souvent? Et parmi tes amies? Lesquelles vas-tu inviter?

8. Par deux, échangez des informations.

• Choisissez chacun une fiche et complétez-la.
• Posez des questions à votre partenaire sur ses choix.
• Utilisez les outils et variez comme dans les exemples (quel ou lequel).
• Répondez aux questions de votre partenaire.
• Jouez les scènes.

FICHE A	
Les boissons	**Quelle** boisson tu préfères?
Les activités de fin de semaine	....
Les vêtements pour sortir	....
Les desserts	....

FICHE B	
Les films au cinéma	Ce soir, il y a un film d'amour et un film d'action : **lequel** tu veux voir?
Les villes à visiter	....
Les sports à pratiquer	....
Les voitures	....

9. Discutez.

• Regardez ces vêtements : lesquels sont à Xavier, lesquels sont à Louis, lesquels ne sont ni à Xavier, ni à Louis ?

• Posez-vous des questions et répondez aux questions des autres apprenants.

Xavier

Louis

• Discutez avec les autres apprenants pour vous mettre d'accord.

10. Informez-vous et discutez.

• Écoutez le dialogue et répondez aux questions.

1. Qu'est-ce que Sarah et Laurent vont faire cet après-midi ? Qui décide ?

2. Quelles sont les expressions utilisées pour marquer l'indifférence ?

• Prenez des notes.

....

....

....

• Discutez avec les autres apprenants pour vérifier ou compléter vos informations.

11. Par deux, jouez la scène.

Sarah : Allo, Laurent ?

Laurent : Oui, salut Sarah.

Exprimer son indifférence
• En général :
Ça m'est égal = peu importe = comme tu veux / comme vous voulez.
• En réponse à des questions précises :

Qui? – **N'importe qui.**	Où? – **N'importe où.**
Quand? – **N'importe quand.**	Quoi? – **N'importe quoi.**

Quel / quelle / quels / quelles + nom? – **N'importe quel / quelle / quels / quelles + nom.**
Lequel / laquelle / lesquels / lesquelles? – **N'importe lequel / laquelle / lesquels / lesquelles.**

12. Donnez la réplique.

• Un(e) apprenant(e) lit la première phrase.

• Son ou sa partenaire lui donne la réplique.

Exemple :   *A : Où veux-tu aller?*

           B : N'importe où.

Premières phrases :

Qu'est-ce qu'on va faire? – On part quand? – On joue aux cartes? – Qu'est-ce que vous voulez boire?

• Imaginez d'autres phrases pour continuer l'exercice.

13. Par deux, jouez la scène.

• Sophie et Vincent veulent acheter une maison.

• Vincent a des idées très précises sur le type de maison qu'il désire acheter.

• Sophie est d'accord, mais est plutôt indifférente aux détails.

• Choisissez un rôle et préparez les questions et les réponses de votre personnage.

....

....

....

....

....

• Jouez la scène avec votre partenaire.

14. Informez-vous.

• Lisez le texte.

Voter à partir de 16 ans

Depuis quelques années, cette idée revient régulièrement dans les médias au moment des élections. Au Québec, on vote à 18 ans. Cet âge correspond à la majorité qui permet d'exercer différents droits : boire, fumer et décider seul(e) de tous les actes de la vie et en être responsable devant la loi. Alors, on considère qu'à 16 ans, les jeunes n'ont pas toujours la maturité nécessaire pour voter. Ils ne connaissent pas assez la vie politique et les différents partis. Mais on oublie qu'aujourd'hui, les jeunes de 16 ans ont le droit d'ouvrir un compte bancaire, de travailler, de conduire... pourquoi ne seraient-ils pas capables de choisir un candidat aux élections? On pourrait peut-être commencer par permettre aux jeunes de 16 ans de voter aux élections municipales. Ce serait un bon début!

• Préparez des questions sur le texte pour vérifier votre compréhension.

....

....

....

• Posez vos questions et répondez aux questions des autres apprenants.

15. Discutez.

• Répondez aux questions pour préparer la discussion.

• Donnez votre opinion. Discutez avec les autres apprenants.

1. À quel âge vote-t-on dans votre pays? Pensez-vous que ce soit l'âge idéal?

....

2. Le vote à 16 ans permet-il de devenir un électeur plus responsable?

....

3. L'école devrait-elle comporter un enseignement sur les idées, les philosophies, la vie politique de son pays?

....

OUTILS

MÉTHODOLOGIE – Reformuler

Pour **vous approprier** les idées du texte, il faut les **reformuler** : vous devez utiliser **vos propres mots** et **vos propres phrases** pour exprimer ces idées **en gardant le sens du texte**.

Exemple 1 : Alors, on considère qu'à 16 ans les jeunes n'ont pas toujours la maturité nécessaire pour voter. Ils ne connaissent pas assez la vie politique et les différents partis.

• **Reformulation :** Pour voter, il faut avoir suffisamment de maturité et connaître les politiciens et leur programme. À 16 ans, on est un adolescent, pas un adulte...

Exemple 2 : On pourrait peut-être commencer par permettre aux jeunes de 16 ans de voter aux élections municipales. Ce serait un bon début!

• **Reformulation :** Il est peut-être difficile de choisir un premier ministre, un député, mais les jeunes pourraient peut-être élire un représentant local : le maire, un conseiller municipal? Ce serait un bon apprentissage du droit de vote.

Reformuler vous permet de mieux comprendre les idées des documents. Cela vous permet ensuite de les développer et d'y ajouter des idées plus personnelles.

16. Préparez-vous à l'épreuve d'expression orale.

Par deux.

• Dégagez le thème de ce document.

....

• Relevez les idées du texte que vous utiliserez dans votre présentation.

• Cherchez des idées personnelles complémentaires.

• Organisez toutes les idées retenues.

En groupe classe.

• Présentez le thème et les idées que vous avez préparées.

• Discutez avec les autres apprenants pour donner votre avis sur le sujet.

17. Discutez.

Les jeunes et la politique.

1. Observez le graphique. À votre avis, pour quelles raisons les jeunes Québécois votent-ils moins que le reste de la population?

2. Selon un sondage commandité par l'Institut du Nouveau Monde en 2018, seulement 39 % des jeunes ont trouvé un parti politique qui correspond à leurs valeurs, mais plus de 80 % considèrent que les jeunes peuvent réformer la politique.

   En groupe, réfléchissez à trois mesures d'un programme politique qui s'adresserait davantage aux jeunes (éducation, environnement, transports, culture, économie, etc.).

3. Présentez vos propositions à la classe.

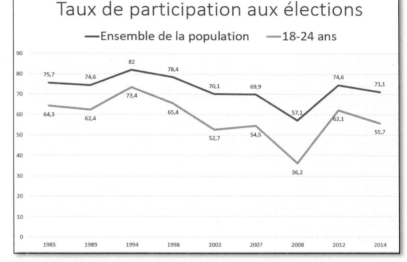

Source : DGEQ et Chaire de recherche sur la démocratie et les institutions parlementaires de l'Université Laval

4. Que pensez-vous de chacune de ces idées? Quelle proposition vous convainc le plus?

5. Exprimez votre opinion. Écoutez celle des autres. Essayez de convaincre ceux qui ne sont pas de votre avis.

Bilan

1. Complétez le dialogue.   13 points

Attention, vous devez utiliser les outils proposés dans cette unité. Vous ne devez pas utiliser deux fois la même construction, ni reprendre les formes déjà contenues dans le dialogue.

A : Bon alors, tu vas le faire, ce voyage dans les Maritimes?

B : (1) ....

A : Trois semaines dans les Maritimes avec les enfants? Et tu hésites encore?

B : (2) ....

A : Mais bien sûr que c'est une bonne idée!

B : (3) ....

A : Il faut toujours que tu réfléchisses des heures. Si vous n'y allez pas...

B : (4) Si ....

A : Évidemment, ils attendent ce voyage depuis si longtemps! Tu as d'autres projets?

B : (5) ....

A : Moi aussi je pense faire des petits changements dans la maison, mais pas pendant les vacances! Mais, qu'est-ce que tu feras exactement?

B : (6) ....

A : Là au moins, tu sais ce que tu veux. Bon et qu'est-ce qu'on fait pour la fête de papa?
On va au restaurant?

B : (7) .... ?

A : Le type de cuisine? Ça ne me dérange pas, mais j'aimerais souper sur une terrasse.

B : (8) .... ?

A : Le cadeau? J'ai une idée. Une pêche au saumon en Colombie-Britannique!

B : (9) .... !

A : Je savais que tu serais d'accord. J'ai apporté des photos des poissons qu'il pourra pêcher.

B : (10) .... !

A : Ah oui, il est magnifique. Et pour la réservation? Juillet ou aout?

B : (11) ....

A : Oui, c'est vrai. Il est à la retraite, il est libre tout le temps. Bon, on va boire un verre?

B : (12) .... ?

A : *Ben non, pas à la maison. On va au Café Riche ou au Café des artistes. Lequel tu préfères?

B : (13) ....

A : Alors c'est moi qui choisis : on va au Café Riche.

2. Choisissez la meilleure reformulation. 12 points

C'est la phrase qui reformule le plus précisément le texte, en utilisant des synonymes et en conservant le même sens.

Phrase A: 4 points

Pour lutter contre la criminalité, Montréal s'est dotée de caméras de surveillance. On en compte plusieurs milliers dans la ville.

- Reformulation 1: *Pour lutter contre les criminels, Montréal a mis des caméras de surveillance partout. Il y en a plusieurs milliers dans la ville.*
- Reformulation 2: *Plusieurs milliers de caméras de surveillance ont été installées à Montréal. En effet, la métropole québécoise a décidé de combattre la criminalité en utilisant ce moyen de vidéoprotection.*
- Reformulation 3: *Pour combattre la criminalité, le gouvernement a décidé de placer des caméras de surveillance dans toute la ville de Montréal. Il y en a plusieurs milliers en tout.*

Phrase B: 4 points

Cependant de nombreuses associations protestent contre ces caméras qui filment tout le monde et ne respectent pas la liberté individuelle.

- Reformulation 1: *Mais un grand nombre d'associations s'opposent à l'installation de ces caméras, car elles portent atteinte à la liberté de chacun en filmant tous les passants sans distinction.*
- Reformulation 2: *Des associations mécontentes ont manifesté contre ces caméras qui filment sans respecter la liberté individuelle.*
- Reformulation 3: *Mais beaucoup d'associations protestent. Ces caméras filment tous les habitants et ne respectent pas la liberté individuelle.*

Phrase C: 4 points

Les études sur les liens entre la décroissance de la criminalité et le nombre de caméras de surveillance se contredisent. Ces caméras sont toutefois très utiles lors des enquêtes policières.

- Reformulation 1: *Les caméras de surveillance sont très utiles pour diminuer la criminalité et pour le travail des policiers.*
- Reformulation 2: *La contribution des caméras de surveillance à la réduction des crimes n'est pas prouvée: les études sur le sujet ne s'entendent pas. Par contre, les enregistrements vidéo aident beaucoup les policiers dans leurs enquêtes.*
- Reformulation 3: *Les études sur la relation entre la réduction de la criminalité et la quantité de caméras de surveillance s'opposent. Ces caméras sont cependant très importantes pour les enquêtes des policiers.*

Comptez vos points (1 point par réponse correcte)

→ **VOUS AVEZ PLUS DE 20 POINTS:** BRAVO! C'est très bien. Vous pouvez passer à l'unité suivante.

→ **VOUS AVEZ PLUS DE 13 POINTS:** C'est bien, mais regardez vos erreurs, cherchez les réponses possibles dans les leçons et refaites le test. Ensuite, passez à l'unité suivante.

→ **VOUS AVEZ MOINS DE 13 POINTS:** Vous n'avez pas bien mémorisé cette unité, reprenez-la, puis recommencez l'autoévaluation. Bon courage!

RACONTER

1. *Imiter*

OUTILS GRAMMATICAUX : Les indications temporelles : *il y a, depuis, dans.* Imparfait d'habitude. Passé composé et imparfait.
OUTILS COMMUNICATIFS : Montrer son intérêt dans la conversation. Encourager quelqu'un à continuer son récit. Parler de faits passés.
MÉTHODOLOGIE : Rapporter des données imprécises.

//

ESPACE DIGITAL 13
competences.cle-international.com

1. Écoutez et répondez.

Quel est le point commun de tous ces dialogues?

• Notez les mots ou les phrases qui expriment ce point commun.

....
....
....
....

//

ESPACE DIGITAL 14
competences.cle-international.com

2. Répétez.

• Attention à l'intonation!

3. En groupe, imaginez la situation.

• Pour chaque minidialogue, imaginez la situation.

....
....
....

• Discutez avec les autres apprenants pour vous mettre d'accord.

4. Par deux, jouez la scène.

• Jouez les dialogues avec un(e) partenaire en ajoutant des éléments complémentaires.

• N'oubliez pas d'utiliser les éléments de l'écoute.

OUTILS

Encourager quelqu'un à continuer son récit

• En demandant ce qui s'est passé après :
– Et alors?   – Et après?   – Et qu'est-ce que tu as fait / dit / répondu?
• En demandant une confirmation ou une explication :
– Vraiment?   – C'est vrai?   – Sérieusement?   – Non! Tu es sûr/sure?
• Répétition du dernier mot ou de la dernière phrase sur un ton interrogatif.
Exemple :   *– Sophie est à Saint-Jérôme.*   *– À Saint-Jérôme?*

5. Faites passer la parole.

• Comme dans les exemples, imaginez une situation en trois répliques.

Exemples :   *A : Jérémie a acheté une voiture.*

B : Une voiture?

A : Oui. Il en avait assez de faire du vélo.

B : Mélanie a réussi son examen.

C : Vraiment?

B : Oui, elle a eu 90 %.

6. Informez-vous et discutez.

1. Qu'est-ce qui est arrivé à Sonia?

2. Qu'est-ce que l'on apprend d'autre sur la santé de Sonia?

3. Quelles indications de temps entendez-vous? À quelles actions correspondent-elles?

• Prenez des notes.

....

....

....

....

• Discutez avec les autres apprenants pour vérifier ou compléter vos informations.

7. Par deux, jouez la scène.

Un homme : Tu connais Sonia?

Une femme : Oui, pourquoi?

OUTILS

Les indications temporelles

• Situer une action dans le futur : **dans** ⟹ Il partira **dans** deux jours.
• Situer une action dans le passé : **il y a** ⟹ Il est parti **il y a** trois mois.
• Situer le début d'une action dans le passé et dire qu'elle continue dans le présent : **depuis**.
*Il habite à Montréal **depuis** six ans. Il habite à Montréal **depuis** le 1ᵉʳ janvier 2013.*
(Verbe au présent : l'action commencée dans le passé continue dans le présent.)
*Il est parti **depuis** six ans. Il est parti **depuis** le 1ᵉʳ janvier 2013.*
(Verbe au passé composé : c'est le résultat de l'action qui continue jusque dans le présent.)

Un accident

Avoir un accident – Faire une chute = tomber – Se casser *le* bras / *la* jambe – Se blesser – Être blessé(e) –
Avoir mal = souffrir – Aller à l'hôpital en ambulance – Faire des radios.

8. Par deux, échangez des informations.

• Choisissez chacun(e) une fiche et complétez votre agenda avec vos différentes activités.

• Racontez à votre partenaire ce que vous avez fait, ce que vous faites, ce que vous ferez.

• Situez ces activités dans le temps en utilisant « il y a », « depuis » et « dans ».

• Demandez des précisions à votre partenaire et répondez à ses questions.

Exemple : A : Il y a un an, j'ai visité l'Acadie. B : C'était quand exactement? A : En juillet.

FICHE A : Agenda des activités
Il y a un an, j'ai visité l'Acadie avec un ami.
Il y a ....
Il y a ....
Depuis ....
Depuis ....
Dans ....
Dans ....

FICHE B : Agenda des activités
Il y a un an, j'ai acheté une nouvelle voiture.
Il y a ....
Il y a ....
Depuis ....
Depuis ....
Dans ....
Dans ....

9. En groupe, interprétez.

Madeleine, 87 ans, raconte : « *Quand j'étais jeune, j'étais danseuse étoile aux Grands Ballets Canadiens. C'était très dur, je me levais tôt le matin pour être à 8 h aux répétitions. Je devais marcher quinze minutes et puis je prenais le bus. On avait environ six heures de cours par jour. À midi, on faisait une petite pause pour diner, mais je ne pouvais pas manger n'importe quoi. J'avais un régime spécial pour rester mince et avoir de l'énergie…* »

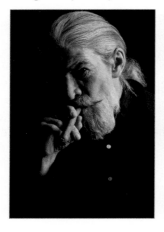   

- Choisissez une personne. Vous êtes cette personne. Imaginez votre vie, vos habitudes quand vous étiez jeune, quand vous aviez une profession, quand vous habitiez dans un autre pays…
- Utilisez les outils ci-dessous : l'imparfait.
- Préparez votre récit.
- Racontez votre récit aux autres et écoutez celui des autres apprenants.
- Posez-leur des questions sur leurs habitudes à cette époque-là, répondez à leurs questions.

OUTILS

L'imparfait
- **Le radical** : c'est le même que celui du présent avec « nous » : *nous **parl**ons, **finiss**ons, **sort**ons, **vend**ons, **lis**ons, **fais**ons…*
- **Les terminaisons** : *-ais, -ais, -ait, -ions, -iez, -aient.*
*Je parl**ais**, tu finiss**ais**, il sort**ait**, nous vend**ions**, vous lis**iez**, ils fais**aient**.*
- **Exception** : Être : j'étais, tu étais, il/elle était, nous étions, vous étiez, ils/elles étaient.
- **On utilise l'imparfait** pour parler d'actions habituelles dans le passé.

10. Informez-vous et discutez.

• Écoutez le dialogue et répondez aux questions.

1. De quoi ces deux personnes parlent-elles?

2. Comment cela est-il arrivé?

3. Que faisait le garçon au moment du choc?

• Prenez des notes.

....

....

....

....

....

• Discutez avec les autres apprenants pour vérifier ou compléter vos informations.

11. Par deux, jouez la scène.

• Imaginez la suite du dialogue entre les deux personnes.

• Jouez la scène avec votre partenaire.

• Utilisez les outils ci-dessous.

La mère : Mais voyons, Jean-Philippe, qu'est-ce qui s'est passé avec mon auto?

Le fils : Oh maman, c'est rien, juste un petit coup devant.

OUTILS

Le passé composé et l'imparfait dans le récit
• **Le passé composé :** on l'utilise pour les évènements montrés comme finis, les actions dont on connait la durée.
• **L'imparfait :** on l'utilise pour les actions habituelles, les descriptions, les situations, les circonstances.
*Exemple : Chaque matin, il **allait** (habitude) au bureau à pied. Ce jour-là, le ciel **était** (description) nuageux, il **pleuvait** (situation). Il **a pris** (action) sa voiture, mais il **est tombé** (action) en panne. Il n'**avait** plus (situation) d'essence.*

12. Discutez.

• Ces quatre personnes se trouvent dans une situation plutôt inconfortable.

• Imaginez comment était leur situation avant et ce qui leur est arrivé.

• Discutez tous ensemble et choisissez la meilleure histoire.

13. Informez-vous.

• Lisez le texte.

> **C'était mieux avant**
>
> Tout le monde a entendu un jour prononcer cette petite phrase. En effet, de nombreuses personnes, âgées pour la plupart, disent cela pour se plaindre de la vie actuelle. Certains trouvent que la nourriture était plus saine autrefois, d'autres pensent que les enfants étaient mieux éduqués, d'autres encore affirment que les relations humaines étaient plus vraies et plus profondes. Plusieurs réclament le retour aux méthodes « du bon vieux temps » : notamment à l'école où l'on demande plus d'autorité, l'uniforme pour tous... Quelques-uns ont la nostalgie d'une vie plus proche de la nature, mais seraient-ils tous prêts à renoncer aux machines qui rendent notre vie quotidienne bien plus facile que celle de nos ancêtres? Tous ces nostalgiques du passé semblent aussi oublier les progrès actuels de la médecine qui leur permettent de vivre mieux et plus longtemps.

• Préparez des questions sur le texte pour vérifier votre compréhension.

....

....

• Posez vos questions et répondez aux questions des autres apprenants.

14. Discutez.

• Répondez aux questions pour préparer la discussion.

• Donnez votre opinion. Discutez avec les autres apprenants.

1. Pourquoi entend-on surtout des personnes âgées dire que c'était mieux avant?

....

2. À quelle époque auriez-vous aimé vivre? Pourquoi?

....

3. À quels objets modernes pourriez-vous renoncer pour avoir une vie plus saine?

....

OUTILS

MÉTHODOLOGIE – Rapporter des données imprécises

Dans le monologue suivi, vous pouvez parler de personnes, de choses, sans en connaitre exactement le nombre. Pour cela, utilisez les pronoms indéfinis.

• Présenter deux ou trois groupes différents de personnes ou de choses.

Certains/certaines..., d'autres..., d'autres encore...

*Exemple : Aujourd'hui, nous avons des voitures performantes, **certaines** sont électriques, **d'autres** utilisent de l'essence, **d'autres encore** fonctionnent au gaz.*

• Présenter des quantités :

La plupart + verbe à la 3e personne du pluriel – Beaucoup – Plusieurs – Quelques-uns/Quelques-unes – Aucun/aucune.

*Exemple : Les gens disent qu'on mangeait mieux avant. **La plupart** se plaignent des agents de conservation présents dans les aliments industriels, **beaucoup** craignent pour leur santé, **plusieurs** regardent attentivement les étiquettes de ces produits avant de les acheter et **quelques-uns** n'en achètent jamais : **aucun** aliment industriel, seulement du fait maison.*

15. Préparez-vous à l'épreuve d'expression orale.

Par deux.

- Dégagez le thème de ce document.

....

- Relevez les idées du texte que vous utiliserez dans votre présentation.
- Cherchez des idées personnelles complémentaires.
- Organisez toutes les idées retenues.
- Donnez votre opinion personnelle sur ce sujet.

En groupe classe.

- Présentez le thème et les idées que vous avez préparées.
- Discutez avec les autres apprenants. Donnez votre avis sur le sujet. Utilisez les outils.

16. Discutez.

Le vintage : une mode qui dure.

1. Pouvez-vous imaginer en regardant les photos ce que l'on appelle la mode vintage?

2. Est-ce que cette mode vous attire? Pourquoi?

3. Quelles peuvent être les raisons qui attirent les gens vers la mode rétro?

4. Le passé peut-il être une source d'inspiration? Est-il au contraire un frein à l'inspiration?

- Discutez avec les autres apprenants. Exprimez votre opinion. Écoutez celle des autres.
- Essayez de convaincre ceux qui ne sont pas de votre avis.

OUTILS GRAMMATICAUX : Les pronoms relatifs *qui, que, dont, où*.
Le pronom démonstratif suivi d'un pronom relatif : *celui qui, celle que...*
OUTILS COMMUNICATIFS : Attirer l'attention de la personne à qui l'on parle.
Donner des précisions.
MÉTHODOLOGIE : Prendre des notes.

//
ESPACE DIGITAL 17
competences.cle-international.com

1. Écoutez et répondez.

Quel est le point commun de tous ces dialogues?

• Notez les mots qui expriment ce point commun.

....

....

//
ESPACE DIGITAL 18
competences.cle-international.com

2. Répétez.

• Attention à l'intonation!

3. En groupe, imaginez la situation.

• Pour chaque minidialogue, imaginez la situation.

....

....

• Discutez avec les autres apprenants pour vous mettre d'accord.

4. Par deux, jouez la scène.

• Jouez la scène avec votre partenaire. Ajoutez des éléments complémentaires.

• N'oubliez pas d'utiliser les outils.

OUTILS

Attirer l'attention de la personne à qui on parle

• Tiens! / Tenez!   • Hé!
• Écoute! / Écoutez!   • Tu sais, ... / Vous savez, ...

5. Faites passer la parole.

• Comme dans l'exemple, imaginez une situation en deux répliques.

Exemple :   A : Tiens! J'ai deux billets pour le match de samedi. Ça t'intéresse?
B : Bien sûr, on se retrouve à quelle heure?

// ESPACE DIGITAL 19
competences.cle-international.com

6. Informez-vous et discutez.

Qu'est-ce qui est intéressant à l'île d'Orléans?

• Prenez des notes.

....

....

• Discutez avec les autres apprenants pour vérifier ou compléter vos informations.

7. Par deux, jouez la scène.

Une femme: Écoute, mes amis du Saguenay viennent me voir en fin de semaine. Tu connais un endroit sympathique où je peux aller avec eux?

Un homme: Oui, bien sûr. Pourquoi tu...

OUTILS

Les pronoms relatifs

- Je connais une île **qui** est entourée par le fleuve.
- Je connais une île **que** les touristes adorent.
- Je connais un village **où** il y a une belle église.
- Je connais une île **dont** les habitants sont gentils.
- Je connais une île **dont** tu te souviendras.

Cette île est entourée par le fleuve. (*qui* = sujet)
Les touristes adorent **cette île**. (*que* =complément direct)
Il y a une belle église **dans ce village**. (*où* = lieu)
Les habitants **de cette île**/Ses habitants.
Tu te souviendras **de cette île**. (*dont* = de qqch.)

Autres verbes: parler de qqch./de qqn, rêver de, avoir besoin de, avoir envie de, avoir peur de, se servir de, être content(e)/désolé(e)/satisfait(e)/amoureux(se)... de...

8. Devinez

- Lisez cette devinette.

C'est un lieu **qui** reçoit beaucoup de monde l'été.

C'est un lieu **dont** on rêve pendant l'hiver.

C'est un lieu **où** on va surtout quand il fait chaud.

C'est un lieu **que** les enfants aiment beaucoup.

C'est un lieu **où** on fait des châteaux.

- Qu'est-ce que c'est?

9. Par deux, échangez des informations.

- Choisissez une ville, un lieu, une personne, un objet.
- Présentez cette ville, cette personne, ce lieu et cet objet en utilisant les pronoms relatifs.
- Lisez vos devinettes à votre partenaire et écoutez les siennes.
- Cherchez la solution de ces devinettes.

C'est une ville	C'est une personne ....
....	....
....	....
....	....
....	....
....	....
....	....
C'est un lieu	**C'est un objet** ....
....	....
....	....
....	....
....	....
....	....

ESPACE DIGITAL **20**
competences.cle-international.com

//

10. Informez-vous et discutez.

• Écoutez le dialogue et répondez aux questions.

1. De quel objet les deux femmes parlent-elles?

2. Pourquoi Geneviève aime-t-elle particulièrement cet objet?

3. Quels sont les sentiments de Sandra quand elle regarde ses souvenirs?

• Prenez des notes.

....

....

....

....

• Discutez avec les autres apprenants pour vérifier ou compléter vos informations.

11. Par deux, jouez la scène

• Imaginez la suite du dialogue entre les deux personnes.

• Jouez la scène avec votre partenaire.

• Utilisez les outils ci-dessous.

Sandra : Tiens, tu as un nouveau bracelet, Geneviève?

Geneviève : Pas du tout, ...

OUTILS

Le pronom démonstratif avec une relative

Je veux un livre, ...
• **celui qui** est sur la table, **celui que** je t'ai prêté, **celui dont** tu m'as parlé, **celui où** j'ai lu ce joli poème.

Tu vois cette fille, ...
• **celle qui** sourit, **celle que** j'aime, **celle dont** la robe est rouge.

Tu connais ces hommes, ...
• **ceux qui** chantent, **ceux que** j'écoute, **ceux dont** la voix est magnifique.

Regarde ces boucles d'oreille, ...
• **celles qui** brillent, **celles que** je te montre, **celles dont** nous rêvons, **celles où** il y a une perle.

celui remplace un nom masculin singulier	**celle** remplace un nom féminin singulier
ceux remplace un nom masculin pluriel	**celles** remplace un nom féminin pluriel

12. Donnez la réplique.

• Un(e) apprenant(e) lit la première phrase avec l'intonation correcte.

• Son ou sa partenaire lui donne la réplique en utilisant un démonstratif accompagné d'une relative.

Exemple : A : Julie a perdu son parapluie.

B : Ah bon? Celui qu'elle a acheté hier?

Premières phrases :

Tu as vu ma montre? – Tu connais ces filles? – Tu me prêtes ton stylo? – Je voudrais des oranges.

• Imaginez d'autres phrases pour continuer l'exercice.

13. Discutez.

• Voici des endroits et des situations où les comportements des personnes diffèrent beaucoup.

Au gym

Sur les réseaux sociaux

En vacances

En cours

Dans un club

En avion

• Pour chacune de ces situations, imaginez les comportements que les personnes peuvent avoir. Utilisez des pronoms démonstratifs et relatifs.

Exemple :   A : *Au gym, il y a celui qui se regarde toujours dans le miroir.*

B : *Il y a celle qui a les vêtements et les souliers les plus chers.*

C : *Il y a ceux qui se parlent tout le temps pour se motiver.*

D : *Il y a celui ou celle qu'on entend crier à chaque effort...*

...

• Quel comportement vous parait le plus amusant, le plus énervant? Pourquoi? Discutez.

14. Informez-vous.

• Lisez le texte.

> **Rechercher ses origines**
>
> Certains Québécois se passionnent pour la généalogie : connaitre l'histoire de sa famille, savoir qui étaient ses arrière-grands-parents, où ils habitaient, comment ils vivaient et quel métier ils faisaient. Les plus motivés essaient de remonter loin dans le passé pour découvrir leurs origines et dessiner l'arbre généalogique le plus complet possible. Certains font cela pour mieux se connaitre, pour sentir qu'ils appartiennent à une famille, à un pays, à une culture. D'autres espèrent trouver parmi leurs ancêtres un personnage célèbre. Ces recherches permettent également de découvrir de lointains cousins qu'on ne connaissait pas. La généalogie est toutefois en perte de vitesse chez les jeunes : en effet, ceux-ci préfèrent faire appel à des entreprises qui, avec un échantillon de salive, peuvent leur dire leurs origines géographiques approximatives. C'est moins de travail, mais est-ce aussi satisfaisant ?

• Préparez des questions sur le texte pour vérifier votre compréhension.

....

....

....

• Posez vos questions et répondez aux questions des autres apprenants.

15. Discutez.

• Répondez aux questions pour préparer la discussion.

• Donnez votre opinion. Discutez avec les autres apprenants.

1. Quels secrets de famille la généalogie ou les tests génétiques peuvent-ils révéler ?

....

2. Quel type de personnage aimeriez-vous découvrir parmi vos ancêtres ?

....

3. Avez-vous déjà fait votre arbre généalogique ou un test génétique ?

....

OUTILS

MÉTHODOLOGIE – Prendre des notes

Quand vous préparerez votre monologue suivi, n'écrivez pas de phrases complètes, car vous auriez tendance à lire. N'oubliez pas que vous devez regarder la personne à laquelle vous vous adressez. Il faut donc prendre des notes qui vous donneront des indications pour développer vos idées. Vous avez bien sûr le droit de consulter vos notes.

Exemple :

• *Prise de notes : Qui fait cela ? : souvent plus âgés, retraités, temps libre.*

• *Production orale : La généalogie nécessite beaucoup de **temps**, c'est pourquoi ce sont surtout les **plus âgés** qui font ces recherches. Ils sont souvent **à la retraite** et ils ont donc plus **de temps libre** à consacrer à ce loisir.*

16. Préparez-vous à l'épreuve d'expression orale.

Par deux.

• Dégagez le thème de ce document.

....

• Relevez les idées du texte que vous utiliserez dans votre présentation.

• Cherchez des idées personnelles complémentaires.

• Organisez toutes les idées retenues.

• Donnez votre opinion personnelle sur ce sujet.

En groupe classe.

• Présentez le thème et les idées que vous avez préparées.

• Discutez avec les autres apprenants. Donnez votre avis sur le sujet. Utilisez les outils.

17. Discutez.

Un prénom pour la vie!

1. Pour quelles raisons certains veulent-ils changer de prénom?

2. Dans votre pays d'origine, est-ce possible, facile, cher?

3. Quelle influence un prénom peut-il avoir sur notre caractère, notre vie?

4. Un prénom est un héritage familial, peut-on y renoncer?

• Discutez avec les autres apprenants. Exprimez votre opinion. Écoutez celle des autres.

• Essayez de convaincre ceux qui ne sont pas de votre avis.

5. Parmi les prénoms cités dans l'illustration ci-dessus, lesquels sont masculins, lesquels sont féminins ou mixtes?

• Par deux, faites trois listes et comparez-les avec celles des autres apprenants.

OUTILS GRAMMATICAUX : Le style indirect. Le style indirect au passé.
OUTILS COMMUNICATIFS : Demander un renseignement. Rapporter des informations.
Quelques verbes introducteurs pour rapporter les propos de quelqu'un.
MÉTHODOLOGIE : Parler de son expérience personnelle.

ESPACE DIGITAL 🎧 21
competences.cle-international.com

1. Écoutez et répondez.

Quel est le point commun de tous ces dialogues?

• Notez les expressions qui expriment ce point commun.

....

....

....

....

....

ESPACE DIGITAL 🎧 22
competences.cle-international.com

2. Répétez.

• Attention à l'intonation!

3. En groupe, imaginez la situation.

• Pour chaque minidialogue, imaginez la situation.

....

....

• Discutez avec les autres apprenants pour vous mettre d'accord.

4. Par deux, jouez la scène.

• Jouez la scène avec votre partenaire. Ajoutez des éléments complémentaires.

• N'oubliez pas d'utiliser les outils.

OUTILS

Demander un renseignement

• Vous savez... / Vous ne savez pas...
Je voudrais savoir...
J'aimerais savoir...
Pouvez-vous me dire... / Pourriez-vous me dire...
Je peux vous demander...
} ...où est le parc La Fontaine, s'il vous plait?

• Je peux vous poser une question?
Je peux vous demander quelque chose?
Vous pouvez me donner un renseignement?
} « Où est le parc La Fontaine, s'il vous plait? »

5. Faites passer la parole.

• Comme dans l'exemple, imaginez une situation en trois répliques.

Exemple :   A : *Pourriez-vous me dire où sont les toilettes, s'il vous plait?*

              B : *Dans le couloir à droite, la deuxième porte à gauche.*

              A : *Merci beaucoup.*

6. Informez-vous et discutez.

1. Quel est le problème de ces deux personnes?

2. Qu'est-ce que Mme Maté dit à propos de son mari?

3. Notez les phrases utilisées pour répéter quelque chose.

• Prenez des notes.

....

....

....

....

• Discutez avec les autres apprenants pour vérifier ou compléter vos informations.

7. Par deux, jouez la scène.

M. Bouillon : Bonjour, madame Maté. Mais... qu'est-ce que vous faites ici?

Mme Maté : Ah, monsieur Bouillon! Qu'est-ce que...

OUTILS

Le style indirect

On l'utilise pour répéter les paroles de quelqu'un à une autre personne.

• Elle dit : « Il est malade. »	⇒ Elle dit **qu'**il est malade. (*que* + phrase)
• Elle dit : « Faites attention! »	⇒ Elle dit **de** faire attention. (*de* + infinitif)
• Il demande : « **Est-ce que** tout va bien? »	⇒ Il demande **si** tout va bien. (*si* + phrase/sujet + verbe)
• Il demande : « **Qu'est-ce qu'**il a? »	⇒ Il demande **ce qu'**il a. (*ce que* + phrase/sujet + verbe)
• Il demande : « **Pourquoi** est-il malade? »	⇒ Il demande **pourquoi** il est malade.
« **Où** a-t-il mal? »	⇒ **où** il a mal.
« **Quand** est-il tombé malade? »	⇒ **quand** il est tombé malade.
« **Pourquoi, comment, qui...** »	⇒ (mot interrogatif + phrase [sujet + verbe])

8. Par deux, échangez des informations.

• Votre ami(e) habite maintenant dans une autre ville. Il/elle vous a écrit une petite lettre pour vous raconter sa vie quotidienne dans cette ville. Il/elle vous pose aussi quelques questions sur vous et votre famille. Choisissez une lettre.

• Complétez sa lettre et rapportez ce qu'il/elle dit en faisant les transformations nécessaires. Utilisez les outils.

• Racontez ensuite à votre partenaire ce qu'il/elle dit.

LETTRE A	LETTRE B
Chère/cher	Chère/cher ....
Je suis maintenant à	J'habite maintenant à ....
J'adore cette ville et en plus il fait très beau.	Je n'aime pas beaucoup cette ville parce que ....
Le matin, je	....
À midi, je	Les autobus .... et les habitants
et souvent, le soir, je	....
Est-ce qu'il fait beau chez toi aussi?	Est-ce que tu vas bien?
Et tes parents, comment .... ?	Pourquoi.. ?
Où .... ?	Avec qui.. ?
Qu'est-ce que .... ?	Quand .... ?
Je t'embrasse, ...	À bientôt, ...

9. Par deux, imaginez les situations.

Que disent-ils?

• Imaginez où se passent les scènes et ce que disent les personnes. Utilisez les outils.

• Notez vos dialogues rapportés au style indirect.

....

....

....

....

....

....

....

....

....

• Quand vous avez terminé, en groupe classe, rapportez vos dialogues et écoutez ceux des autres apprenants.

• Discutez pour choisir les meilleurs.

10. Informez-vous et discutez.

• Écoutez le dialogue et répondez aux questions.

1. De quoi parlent les deux hommes?

2. Qu'est-ce que le directeur a dit à Daniel?

3. Qu'est-ce qu'il a dit à Lucas?

• Prenez des notes.

....

....

....

• Discutez avec les autres apprenants pour vérifier ou compléter vos informations.

11. Par deux, jouez la scène.

• Imaginez la suite du dialogue entre les deux personnes.

• Jouez la scène avec votre partenaire.

• Utilisez les outils ci-dessous.

Lucas : Salut, Daniel. Alors, ta rencontre avec le directeur, comment ça s'est passé?

Daniel : Très bien. Il m'a demandé...

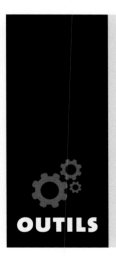

OUTILS

Le style indirect au passé

• Au style indirect, quand le verbe introducteur est au passé, on ne peut pas utiliser le présent dans la phrase qui est répétée.

On remplace le présent par l'imparfait.

« *Marie **est** fatiguée.* » ⟹ *Il <u>a dit</u> que Marie **était** fatiguée.*

« *Est-ce que vous **aimez** la musique?* » ⟹ *Il nous <u>a demandé</u> si nous **aimions** la musique.*

On garde l'imparfait dans la phrase répétée.

« *Marie portait une jolie robe hier.* » ⟹ *Il <u>a dit</u> que Marie **portait** une jolie robe hier.*

• Quelques verbes introducteurs pour rapporter les paroles de quelqu'un.

Demander qqch. à qqn ≠ répondre qqch. à qqn.

Dire, raconter, expliquer, répéter, annoncer, déclarer qqch. à qqn.

12. Imaginez.

• Choisissez une personne célèbre (un acteur/une actrice, un chanteur/une chanteuse, un sportif/une sportive, un politicien/une politicienne...) et imaginez que vous l'avez interviewée. Vous lui avez posé des questions sur sa vie actuelle et sur ses habitudes quand il ou elle était enfant.

• Rapportez aux autres apprenants votre interview. Utilisez les outils.

Exemple : Je lui ai demandé combien d'heures par jour il s'entrainait. Il m'a dit qu'il faisait cinq heures d'entrainement par jour sauf le dimanche. Je lui ai demandé s'il aimait ce sport quand il...

• Notez vos idées.

....

....

....

....

....

13. Informez-vous.

• Lisez le texte.

Internet : espace d'expression libre

Le monde francophone compte énormément de blogueurs. Mais nous ne sommes pas les seuls : la blogosphère compte aujourd'hui plus de deux milliards d'utilisateurs dans le monde.

Sur ces sites et ces blogues, on peut tout faire : parler de ses problèmes, demander et donner des conseils, partager son expérience, échanger des idées, des savoir-faire, défendre des causes, informer... De plus, les lecteurs ont la possibilité de réagir aux articles, ils donnent leur avis, font des commentaires : un vrai dialogue en somme ! Quand on ajoute une vidéo à son blogue, on peut devenir très célèbre et même influencer les nouvelles tendances. C'est le cas des blogues de mode aujourd'hui. Certains réussissent même à en vivre ! La parole médiatique n'est donc plus réservée exclusivement aux professionnels.

• Préparez des questions sur le texte pour vérifier votre compréhension.

....

....

....

• Posez vos questions et répondez aux questions des autres apprenants.

14. Discutez.

• Répondez aux questions pour préparer la discussion.

• Donnez votre opinion. Discutez avec les autres apprenants.

1. Les informations données par les blogues sont-elles fiables ?

....

2. Quels types de blogues peuvent être très utiles aux internautes ?

....

3. Vous-même, avez-vous créé un blogue ? Aimeriez-vous en créer un ?

....

OUTILS

MÉTHODOLOGIE – Parler de son expérience personnelle

• Dans le monologue suivi, après avoir donné votre opinion sur le sujet, vous devez parler de votre expérience personnelle.

• Pour cela, vous devez utiliser les tournures suivantes : **Pour ma part**, ... / **Personnellement**, – ...**moi-même**... – **Quant à moi**, ... / **En ce qui me concerne**, ...

Exemples :

***Pour ma part**, je ne lis jamais les blogues des autres, mais **moi-même** j'en ai créé un / j'en ai **moi-même** créé un.*

*Beaucoup de gens consultent les blogues, **quant à moi**, je suis *accro aux blogues de mode. **Personnellement**, j'ai lu une seule fois un blogue de conseils de parents et il était mal fait, alors je ne les regarde plus.*

15. Préparez-vous à l'épreuve d'expression orale.

Par deux.

• Dégagez le thème de ce document.

....

• Relevez les idées du texte que vous utiliserez dans votre présentation.

• Cherchez des idées personnelles complémentaires.

• Organisez toutes les idées retenues.

• Donnez votre opinion personnelle sur ce sujet et justifiez-la.

En groupe classe.

• Présentez le thème et les idées que vous avez préparées.

• Discutez avec les autres apprenants. Donnez votre avis sur le sujet. Utilisez les outils.

16. Discutez.

Le café, un autre lieu où l'on parle.

1. Pouvez-vous imaginer qui sont les personnes sur la photo et pourquoi elles se rencontrent en ce lieu?

2. Pour vous, à quoi sert un café?

3. Quel type de café préférez-vous? Pourquoi?

4. Allez-vous souvent dans les cafés? Qu'est-ce que vous y faites?

5. La communication virtuelle pourrait-elle faire disparaitre les cafés de nos villes et de nos villages? Qu'est-ce que cela changerait?

• Discutez avec les autres apprenants. Exprimez votre opinion. Écoutez celle des autres.

• Essayez de convaincre ceux qui ne sont pas de votre avis.

Bilan

1. Complétez le dialogue. 12 points

Attention, vous devez utiliser les outils proposés dans cette unité. Vous ne devez pas utiliser deux fois la même construction, ni reprendre les formes déjà contenues dans le dialogue.

A : Tu sais, Simon, j'ai rencontré Nathalie jeudi dernier.

B : **(1)** ....

A : Un an! Moi je ne l'avais pas vue depuis deux ans. Elle était en pleine forme.

B : **(2)** .... ?

A : Elle m'a dit qu'elle travaillait dans une boutique avec son frère...

B : **(3)** Lequel? .... ?

A : Non, l'autre. Tu sais, son petit frère qui a fait des études de commerce international.

B : **(4)** .... ?

A : Et après, elle m'a dit qu'elle était mariée... avec Nicolas bien sûr.

B : **(5)** .... ?

A : Tout à fait. Et ils ont un petit garçon qui a six mois.

B : **(6)** .... ?

A : * Ben oui, c'est vrai. Il s'appelle Félix. Il est adorable. Nous avons parlé de toi aussi.

B : **(7)** .... ?

A : Tout à fait, et je lui ai répondu que tu étais toujours célibataire.

B : **(8)** .... ?

A : Elle me l'a demandé, mais je ne lui ai pas donné ton adresse.

B : **(9)** .... ?

A : Oui et je lui ai dit que tu travaillais, que tu voyageais et que tu faisais toujours de la musique.

J'ai proposé qu'on se retrouve tous chez moi pour souper samedi. Tu fais ton gâteau surprise?

B : **(10)** .... ?

A : Exactement, celui-là. J'ai invité ma voisine.

A : **(11)** ....

A : Oui, c'est bien elle. Mais elle va beaucoup mieux, elle peut marcher maintenant. Tu la connais?

B : **(12)** .... ?

A : Dans l'ascenseur évidemment, c'est l'endroit idéal pour les rencontres.

2. Complétez le texte avec les formes suivantes.   13 points
Chaque forme ne peut être utilisée qu'une fois.

> Certains/certaines..., d'autres..., d'autres encore... La plupart... - Beaucoup – Plusieurs – Quelques-uns / Quelques-unes – Aucun/Aucune – Pour ma part, ... / Personnellement, ... – ...moi-même... – Quant à moi, ... / En ce qui me concerne, ...

Qui n'a pas de cellulaire aujourd'hui?

(1) .... des Canadiens en ont un. (2) .... l'utilisent seulement pour appeler leurs proches, (3) .... consultent également leur messagerie, (4) .... ne peuvent plus s'en passer et s'en servent pour tout : appeler, écrire des courriels, acheter quelque chose, regarder des films. (5) ...., j'essaie d'en avoir une utilisation modérée. Parmi mes amis, (6) .... ne savent plus lire une carte, un grand nombre d'entre eux utilise le GPS. (7) .... seulement, grands adeptes des cartes, refusent de se laisser guider par un objet, aussi performant soit-il! (8) .... j'adore lire une carte, c'est amusant, mais avec un GPS on est sûr d'arriver à bon port et à temps. Par ailleurs, j'ai observé les personnes âgées de mon entourage, (9) .... il est vrai que ce n'est pas très courant, passent beaucoup de temps sur les applications de toutes sortes : jeux, vidéos, achats, musique.... Étonnant pour une génération qui a découvert cet objet tardivement. J'ai (10) .... 72 ans, mais je n'aime pas me sentir dépendante d'un appareil électronique. Quant aux jeunes enfants, (11) .... ont déjà leur propre téléphone à 6 ans. Un peu jeunes, tout de même! Mais à 13 ans, (12) .... n'envisage de vivre sans cellulaire. (13) .... je n'ai eu le mien qu'à 55 ans.

PROSER, IMAGINER

1. Imiter

OUTILS GRAMMATICAUX : Le conditionnel.
OUTILS COMMUNICATIFS : Proposer à quelqu'un de faire quelque chose. Répondre à une proposition. Parler d'une situation possible ou imaginaire. Exprimer une envie.
MÉTHODOLOGIE : L'articulation du discours : progresser dans le discours, présenter deux idées.

///

ESPACE DIGITAL 🎧 25
competences.cle-international.com

1. Écoutez et répondez.

Quel est le point commun de tous ces dialogues?

• Notez les mots ou les phrases qui expriment ce point commun.

....

....

///

ESPACE DIGITAL 🎧 26
competences.cle-international.com

2. Répétez.

• Attention à l'intonation!

3. En groupe, imaginez la situation.

• Pour chaque minidialogue, imaginez de quoi ils parlent et la suite de la conversation.

....

....

....

....

....

• Discutez avec les autres apprenants pour vous mettre d'accord.

4. Par deux, jouez la scène.

• Jouez la scène avec votre partenaire. Ajoutez des éléments complémentaires.

• N'oubliez pas d'utiliser les outils.

OUTILS

Proposer à quelqu'un de faire quelque chose

• Ça te plairait de... / Ça te tenterait de...
Ça ne te plairait pas de... / Ça ne te tenterait pas de... } + Verbe à l'infinitif.
Exemple : Ça ne te plairait pas d'aller au cinéma?
• Ce serait *chouette de... + Verbe à l'infinitif
*Exemple : Ce serait *chouette d'inviter Julie, non?*
• Et si + phrase à l'imparfait?
Exemple : Et si tu venais souper à la maison?

5. Faites passer la parole.

• Comme dans l'exemple, imaginez une situation en trois répliques.

Exemple :   A : Ça te tenterait d'aller voir un film?

B : Oui, mais j'ai faim!

A : Eh bien, on va manger avant de partir.

6. Informez-vous et discutez.

1. Qu'est-ce que sa collègue propose à Camille?

2. Comment Camille réagit-elle?

3. Quel argument va persuader Camille de changer?

• Prenez des notes.

....

....

....

• Discutez avec les autres apprenants pour vérifier ou compléter vos informations.

• Imaginez pourquoi sa collègue veut changer de bureau.

7. Par deux, jouez la scène.

La collègue : Camille, ça te dirait de changer de bureau?

Camille : *Ben non, ...

Répondre à une proposition	
– Et si on faisait des crêpes?	
– Bonne idée!	– Ah non, c'est *plate!
– *C'est pas bête, ça! / *C'est pas idiot, ça!	– Ah non, ce n'est pas une bonne idée!
– Oui, ça me tenterait!	– Je n'ai pas (du tout) envie de faire des crêpes.
– Ça me plairait bien!	

8. Par deux, échangez des informations.

• Choisissez chacun une fiche et complétez la liste des propositions.

• Faites vos propositions à votre partenaire et répondez aux siennes.

• Faites l'exercice sous forme de dialogue.

FICHE A	**FICHE B**
Propositions	**Propositions**
Partir en vacances.	Faire une croisière.
Acheter une voiture.	Inviter des amis.
....	....
....	....
....	....
....	....
....	....
....	....
....	....
....	....
....	....
....	....
....	....

ESPACE DIGITAL
competences.cle-international.com

9. Informez-vous et discutez.

• Écoutez le dialogue et répondez aux questions.

1. Quelle relation y a-t-il entre les deux personnes?

2. Qu'est-ce que l'homme aimerait faire?

3. Qu'en pense la femme?

• Prenez des notes.

....

....

....

• Discutez avec les autres apprenants pour vérifier ou compléter vos informations.

10. Par deux, jouez la scène.

L'homme : Pfff... J'en ai assez de ma vie, je changerais bien.

La femme : Et qu'est-ce que tu voudrais faire de plus?...

OUTILS

Le conditionnel présent
• **Le radical :** identique au radical du futur (voir p. 14).
• **Les terminaisons :** *-ais, -ais, -ait, -ions, -iez, -aient* (identiques à l'imparfait).
Je parlerais, tu partirais, il lirait, nous chanterions, vous partiriez, ils vendraient.
• **Les verbes irréguliers :** les mêmes qu'au futur (voir p. 14)

Exprimer une envie
• J'aimerais bien + verbe à l'infinitif.
Exemple : J'aimerais bien aller au cinéma ce soir.
• Verbe au conditionnel + bien.
Exemple : J'irais bien à la plage. Je mangerais bien une crème glacée.

Parler d'une situation possible ou imaginaire
• Je voyagerais; tu serais mon guide; on visiterait le monde entier.

11. Par deux, jouez la scène.

• Ces deux personnes aimeraient bien changer de vie.

• Choisissez chacun un rôle et imaginez ce que vous pourriez faire pour changer de vie.

• Jouez les deux scènes avec votre partenaire.

12. Interprétez.

• Ce charmant petit village est en train de mourir, car de nombreux habitants le quittent pour s'installer en ville.

• Vous êtes les membres du conseil municipal de ce village et vous voulez qu'il retrouve son animation passée. Pourquoi ne pas développer le tourisme, créer un parc éolien ou un important pôle artistique?

• Choisissez l'idée qui vous intéresse le plus et faites de petits groupes d'apprenants qui ont fait le même choix.

• Pensez que votre but est surtout d'améliorer la qualité de vie des habitants du village.

• Par groupes, préparez des propositions. Prenez des notes.

....
....
....
....
....
....
....
....
....
....
....
....
....

• En groupe classe, faites vos propositions, écoutez celles des autres.

• Discutez tous ensemble et choisissez les meilleures idées.

13. Informez-vous.

• Lisez le texte.

> ### L'aventure pour tous, le choix des parents
> Après avoir vécu une aventure en couple sur le continent africain pendant plus de trois ans, Sonia et Alexandre Poussin ont décidé de repartir en 2014, mais cette fois, avec leurs deux enfants âgés de 7 et 10 ans. Après trois ans de voyage, la famille a déjà parcouru 3 000 km en charrette tirée par des zébus à travers l'île de Madagascar. Sonia et Alexandre ne sont pas les seuls à avoir entrainé leurs enfants dans une aventure longue et parfois même périlleuse. Bien sûr, une telle expédition ne s'improvise pas et il est important de prévoir une longue préparation physique et psychologique, des enfants comme des parents. En effet, il n'est pas toujours facile pour les enfants de changer leurs habitudes de vie, de quitter leurs amis, et même de devoir s'instruire en dehors de l'école.

• Préparez des questions sur le texte pour vérifier votre compréhension.

....

....

....

• Posez vos questions et répondez aux questions des autres apprenants.

14. Discutez.

• Répondez aux questions pour préparer la discussion.

• Donnez votre opinion. Discutez avec les autres apprenants.

1. Auriez-vous aimé partir à l'aventure avec vos parents quand vous étiez enfant?

....

2. Pensez-vous qu'il est raisonnable de partir avec des enfants dans de longues aventures?

....

3. Pensez-vous que les enfants qui ont vécu une aventure avec leurs parents sont mieux ou moins bien préparés pour la vie que les autres enfants?

....

OUTILS

MÉTHODOLOGIE – L'articulation du discours

Pour un exposé ou un examen, vous devez présenter vos idées dans un ordre logique.
Pour mettre en évidence cette logique, vous devez utiliser les articulateurs du discours.

• <u>Progresser dans le discours.</u>

d'abord/tout d'abord – ensuite/puis – enfin/finalement

Exemple : ***Tout d'abord****, nous allons voir pourquoi l'aventure peut être utile pour les enfants.* ***Ensuite****, nous parlerons des dangers de ce mode de vie pour eux et pour leur avenir. Et* ***finalement****, je vous donnerai mon avis personnel sur ce sujet.*

• <u>Présenter deux idées.</u>

d'un côté... de l'autre... (dans la même phrase)

Exemple : ***D'un côté*** *les enfants s'adaptent facilement à de nouvelles conditions de vie,* ***de l'autre****, ils sont plus fragiles que les adultes.*

15. Préparez-vous à l'épreuve d'expression orale.

Par deux.

• Dégagez le thème de ce document.

....

• Relevez les idées du texte que vous utiliserez dans votre présentation.

• Cherchez des idées personnelles complémentaires.

• Organisez toutes les idées retenues.

En groupe classe.

• Présentez le thème et les idées que vous avez préparées.

• Discutez avec les autres apprenants pour donner votre avis sur le sujet.

16. Discutez.

Dans quel monde aimeriez-vous vivre?

• Choisissez le monde où vous aimeriez vivre. Faites des petits groupes d'apprenants qui ont fait le même choix et imaginez ce que vous pourriez faire dans ce monde.

• En groupe classe, expliquez les raisons de votre choix, écoutez les choix des autres apprenants.

• Essayez de convaincre ceux qui ne sont pas de votre avis.

DEMANDER ET PROPOSER UN SERVICE

1. Imiter

OUTILS GRAMMATICAUX : Le pronom « en ».
OUTILS COMMUNICATIFS : Demander un service. Introduire une demande de service. Proposer son aide. Exprimer son découragement.
MÉTHODOLOGIE : L'articulation du discours : ajouter une idée supplémentaire, introduire un exemple, une exception.

//

ESPACE DIGITAL 29
competences.cle-international.com

1. Écoutez et répondez.

Quel est le point commun de tous ces dialogues?

• Notez les mots ou les phrases qui expriment ce point commun.

....
....
....

//

ESPACE DIGITAL 30
competences.cle-international.com

2. Répétez.

• Attention à l'intonation!

3. En groupe, imaginez la situation.

• Pour chaque minidialogue, imaginez de quoi ils parlent et la suite de la conversation.

....
....
....
....

• Discutez avec les autres apprenants pour vous mettre d'accord.

4. Par deux, jouez la scène.

• Jouez la scène avec votre partenaire. Ajoutez des éléments complémentaires.
• N'oubliez pas d'utiliser les outils.

OUTILS

Demander un service

• Tu peux (vous pouvez)... / Tu pourrais (vous pourriez)... / Tu ne pourrais pas (vous ne pourriez pas)... / Tu veux bien (vous voulez bien) / Tu voudrais bien (vous voudriez bien)... Ça te dérangerait/t'embêterait (ça vous dérangerait/embêterait) de... / Ce serait possible de... + verbe à l'infinitif.
• La phrase est à la forme interrogative.
Exemples : Peux-tu m'aider? Tu veux bien me donner un coup de main? Pourriez-vous garder mon chat? Ça ne vous dérangerait pas de faire le ménage?

5. Faites passer la parole.

• Comme dans l'exemple, imaginez une situation en trois répliques.

Exemple : A : Ça vous dérangerait de m'aider à porter mon sac?

B : Non, pas du tout.

A : Ah, c'est vraiment gentil, j'ai 40 livres de linge dedans!

6. Informez-vous et discutez.

• Écoutez le dialogue et répondez aux questions.

1. Quelle est la relation entre les deux personnes?

2. Quels services le jeune homme demande-t-il?

3. Comment réagit la femme?

• Prenez des notes.

....

....

• Discutez avec les autres apprenants pour vérifier ou compléter vos informations.

7. Par deux, jouez la scène.

Le jeune homme : Bonjour, madame Rondeau.

Madame Rondeau : Bonjour...

OUTILS

Introduire une demande de service

• J'aurais un service à vous demander. Vous pourriez... + verbe à l'infinitif.
Exemple : Vous pourriez m'aider à repeindre la cuisine?
• Vous pourriez me rendre un petit service? Il faudrait... + verbe à l'infinitif.
Exemple : Il faudrait arroser mes plantes une fois par semaine.
• J'ai un (petit) problème. Ça vous dérangerait/embêterait de... + verbe à l'infinitif.
Exemple : Ça vous dérangerait de téléphoner à ma sœur?

8. Par deux, jouez les scènes.

• Choisissez chacun une fiche et complétez la liste des demandes de service.

• Faites vos demandes à votre partenaire et répondez aux siennes.

• Jouez les scènes et notez ses réponses finales.

FICHE A		FICHE B	
Vos demandes de service	Les réponses de votre partenaire	Vos demandes de service	Les réponses de votre partenaire
Tu pourrais me rendre un petit service? Ça t'embêterait de me prêter ta voiture?	....	*J'ai un petit problème. Tu voudrais bien me prêter 1 000 dollars?*	....
....	....	....	....
....	....	....	....

9. Informez-vous.

• Écoutez le dialogue et répondez aux questions.

1. À votre avis, quel âge a la fille?

2. Que demande la mère?

3. Comment la fille réagit-elle aux différentes demandes?

• Prenez des notes.

....

....

....

....

• Discutez avec les autres apprenants pour vérifier ou compléter vos informations.

10. Par deux, jouez la scène.

La mère : Oh non!

La fille : Qu'est-ce qu'il y a, maman? Tu veux un coup de main?...

OUTILS

Proposer ses services
• Je peux t'aider (vous aider)? – Tu as (vous avez) besoin d'aide? – Tu veux (vous voulez) un coup de main/pouce? – Je peux t'être (vous être) utile?

Exprimer son découragement
• Oh non, je n'y arriverai jamais! – Impossible, c'est au-dessus de mes forces! – Oh non, c'est au-dessus de mes moyens!

11. Par deux, jouez la scène.

• Au moment de faire le ménage, la vie de couple devient parfois difficile, mais pas toujours.

• Choisissez chacun un rôle : le mari ou la femme, et jouez deux scènes différentes.

• Dans la première scène, la femme demande à son mari de l'aider, mais celui-ci n'est pas d'accord. Préparez les questions de la femme.

....

....

• Dans la seconde scène, le mari propose son aide à sa femme qui l'accepte volontiers. Préparez les propositions du mari.

....

....

12. En groupe, discutez.

« S'il vous plait, j'en ai besoin! »

« Et oui, je m'en sers tout le temps »

« Et moi, j'en profite bien! »

- De quoi ces trois personnes parlent-elles?
- Et vous, en avez-vous besoin? Qu'en faites-vous? En parlez-vous avec vos amis?
- Discutez avec les autres apprenants.

OUTILS

Le pronom « en »

- Il remplace les compléments de verbe introduits par « **de** » : *de quelque chose.*
- Quelques verbes et locutions verbales suivis de la préposition « de » :
avoir envie de qqch., avoir besoin de qqch., avoir peur de qqch., parler de qqch., discuter de qqch., se servir de qqch., s'occuper de qqch., rêver de qqch., se plaindre de qqch., être content(e) de qqch., être fier/fière de qqch., ...
Exemples :

*Êtes-vous fier/fière **de votre travail**?*	*Bien sûr, j'**en** suis très fier/fière.*
*Tu as besoin **de la voiture**?*	*Non merci, je n'**en** ai pas besoin.*
*Vous pourriez vous occuper **du jardin**?*	*Bien sûr, je peux m'**en** occuper demain.*

- Lorsque le complément de ces verbes est une personne, on utilise **de + le pronom tonique.**
Exemples :

*Vous a-t-il parlé **de ses parents**?*	*Oui, il m'a parlé **d'eux** ce matin.*
*Êtes-vous content(e) **de votre professeur(e)**?*	*Non, nous ne sommes pas contents **de lui/d'elle**.*

---

13. Devinez.

De quel objet s'agit-il?

On en a besoin pour être propre, on s'en plaint quand elle fait du bruit, on en rêve quand elle est en panne, on en a envie quand on est obligé d'aller à la buanderie, on s'en sert pour ne pas laver ses vêtements à la main. Qu'est-ce que c'est?

- Par deux, imaginez une devinette. Décrivez un objet en utilisant le pronom « en » avec les verbes ci-dessus.

....
....
....
....
....
....
....
....

- Proposez votre devinette aux autres groupes.

14. Informez-vous.

• Lisez le texte.

Le bénévolat : une clé pour les nouveaux arrivants

Les nouveaux arrivants au Québec pratiquent de plus en plus souvent une activité bénévole. C'est en effet une occasion unique de mettre à profit ses compétences et de faciliter son intégration dans la société québécoise. Dans le cadre de son activité, le bénévole a la possibilité d'améliorer sa connaissance de la langue, d'acquérir de nouvelles compétences et de se familiariser avec de nouvelles habitudes de travail. Par ailleurs, le bénévole peut également bâtir un réseau de contacts qui faciliteront souvent par la suite son entrée sur le marché du travail québécois.

De plus, les employeurs sont souvent très positivement impressionnés par un demandeur d'emploi qui a fait du bénévolat. Cela démontre l'engagement, le sérieux et l'habilité à travailler en équipe. Pour le nouvel arrivant, le bénévolat représente aussi la possibilité d'inscrire une première expérience de travail canadienne sur son curriculum vitae. Dans le contexte économique actuel, trouver un emploi s'avère relativement facile, sauf parfois pour ceux qui n'ont pas cette première expérience. En donnant un peu de leur temps, les nouveaux arrivants reçoivent donc beaucoup en échange.

• Préparez des questions sur le texte pour vérifier votre compréhension.

....

....

• Posez vos questions et répondez aux questions des autres apprenants.

15. Discutez.

• Répondez aux questions pour préparer la discussion.

• Donnez votre opinion. Discutez avec les autres apprenants.

1. Pensez-vous que toutes les activités bénévoles donnent le même type d'avantages aux nouveaux arrivants?

....

2. Pourquoi, selon vous, est-il plus difficile de trouver un emploi sans une première expérience de travail canadienne?

....

3. Quels peuvent être les freins à la pratique d'une activité bénévole chez les nouveaux arrivants?

....

MÉTHODOLOGIE – L'articulation du discours

• Ajouter une idée supplémentaire.

de plus – par ailleurs

*Exemple : Les bénévoles acquièrent de nouvelles compétences. **De plus**, ils pratiquent le français.*

• Introduire un exemple.

par exemple

*Exemple : Faire du bénévolat permet de démontrer ses compétences, **par exemple** sa capacité à travailler en équipe.*

• Introduire une exception.

excepté – sauf

*Exemple : Trouver un emploi est relativement facile, **sauf** pour ceux qui n'ont aucune expérience de travail canadienne.*

OUTILS

16. Préparez-vous à l'épreuve d'expression orale.

Par deux.

• Dégagez le thème de ce document.

....

• Relevez les idées du texte que vous utiliserez dans votre présentation.

• Cherchez des idées personnelles complémentaires.

• Organisez toutes les idées retenues.

En groupe classe.

• Présentez le thème et les idées que vous avez préparées.

• Discutez avec les autres apprenants pour donner votre avis sur le sujet.

17. Discutez.

Aider les autres? Oui mais où, quand, comment, pourquoi?

• Décrivez chacune des photos proposées.

• Expliquez le type d'aide que chaque photo suggère.

1. Que seriez-vous prêt(e) à faire pour aider les autres?

2. Notre société fait-elle assez de choses pour aider les personnes en difficulté?

• Discutez avec les autres apprenants.

DONNER UN CONSEIL

1. Imiter

OUTILS GRAMMATICAUX : L'hypothèse : si + verbe à l'imparfait.
OUTILS COMMUNICATIFS : Donner un conseil. Demander un conseil.
MÉTHODOLOGIE : L'articulation du discours : introduire une conséquence, opposer des faits ou des idées, émettre des réserves.

ESPACE DIGITAL 33
competences.cle-international.com

1. Écoutez et répondez.

Quel est le point commun de tous ces dialogues?

• Notez les mots ou les phrases qui expriment ce point commun.

....

....

ESPACE DIGITAL 34
competences.cle-international.com

2. Répétez.

• Attention à l'intonation!

3. En groupe, imaginez la situation.

• Pour chaque minidialogue, imaginez de quoi ils parlent et la suite de la conversation.

....

....

....

....

• Discutez avec les autres apprenants pour vous mettre d'accord.

4. Par deux, jouez la scène.

• Jouez la scène avec votre partenaire. Ajoutez des éléments complémentaires.

• N'oubliez pas d'utiliser les outils.

OUTILS

Donner un conseil

• Tu devrais (vous devriez) / Tu pourrais (vous pourriez) + verbe à l'infinitif.
Exemples : Tu devrais lui dire la vérité. Tu pourrais travailler plus!
• Si j'étais toi (si j'étais vous), je... / Si j'étais à ta place (si j'étais à votre place), je + verbe au conditionnel.
Exemples : Si j'étais toi, je déménagerais. Si j'étais à votre place, je chercherais un meilleur travail.
• Deux phrases au conditionnel.
Exemple : Tu ferais plus de sport, tu aurais moins mal au dos.
• Je te (vous) conseille de + verbe à l'infinitif.
Exemple : Je te conseille de faire du sport.

5. Faites passer la parole.

• Comme dans l'exemple, imaginez une situation en trois répliques.

Exemple :   A : J'ai encore grossi.

B : Tu devrais arrêter de manger des gâteaux.

A : Je ne peux pas, j'adore ça.

6. Informez-vous et discutez.

1. Quel est le problème de l'une des femmes?

2. Quelle est la situation familiale de cette femme?

3. Quels conseils son amie lui donne-t-elle?

• Prenez des notes.

....

....

....

....

....

....

....

• Discutez avec les autres apprenants pour vérifier ou compléter vos informations.

7. Par deux, jouez la scène.

A : J'ai l'impression que ça ne va pas. Qu'est-ce que tu as?

B : C'est mon fils...

8. Par deux, échangez des informations.

• Choisissez une de ces peintures. Vous en êtes l'auteur(e), mais vous n'en êtes pas très satisfait(e).

• Demandez à votre partenaire ce qui ne va pas.

• Écoutez ses conseils et discutez avec lui ou elle.

• Préparez la liste de vos conseils pour votre partenaire.

Peinture de ....

Peinture de ....

....

....

....

....

....

....

....

....

....

....

....

....

....

9. Par deux, jouez la scène.

> *Si je gagnais au Lotto 6/49, j'achèterais une Ferrari.*

- Choisissez un rôle : l'homme qui voudrait gagner au Lotto 6/49 ou son ami.
- Le premier fait des hypothèses et le second lui donne des conseils.
- Utilisez les outils ci-dessous.

OUTILS

Faire des hypothèses dans le présent ou dans le futur

Si + verbe à l'imparfait ⇒ verbe au conditionnel présent

L'hypothèse est peu probable ou imaginaire.

Exemples :   *Si je gagnais au Lotto 6/49, je ferais le tour du monde.*
(hypothèse peu probable dans le présent ou le futur)
Si j'étais un chat, je dormirais toute la journée.
(hypothèse imaginaire dans le présent)

Demander un conseil

- Qu'est-ce que tu ferais (vous feriez) à ma place ?
- Que ferais-tu (feriez-vous) si tu étais (si vous étiez) à ma place ?
- Qu'est-ce que je peux faire ? Qu'est-ce que je pourrais faire ? Qu'est-ce que je dois faire ?
- Qu'est-ce que tu me conseilles ? Qu'est-ce que vous me conseillez ?

10. Imaginez.

Que feriez-vous si… ?

- Continuez cette série de phrases. Une phrase par apprenant.

Si les fleurs n'existaient pas, la campagne serait triste.

Si la campagne était triste, les oiseaux ne chanteraient pas.

Si les oiseaux ne chantaient pas, ce ne serait pas agréable de se promener dans les champs.

- Faites une autre série de phrases en partant de : « Si le soleil ne se couchait jamais… »

11. Discutez.

- Lisez ces deux lettres envoyées par des lecteurs à un magazine.

Aidez-moi, s'il vous plaît!

Je n'en peux plus! J'ai une mère très possessive qui veut contrôler tout ce que je fais. Elle me téléphone vingt fois par jour pour savoir où je suis, avec qui je suis, ce que j'ai mangé ou ce que j'ai fait au bureau. Tous mes amis se moquent de moi et mon chef de service est très en colère quand je réponds à ses appels. Ma femme est fatiguée d'écouter les conseils que ma mère lui donne tous les jours. Elle voudrait bien passer ses fins de semaine tranquillement avec moi, mais ma mère nous dérange toujours. Je ne sais plus quoi faire. Si je disais à ma mère d'arrêter de m'appeler, elle serait surement très malheureuse et je ne veux pas lui faire de peine. Que feriez-vous si vous étiez à ma place?

Éric Leblanc – Laval

Bonjour à tous,

Je vous écris parce que je suis sure que vous pourrez me comprendre. J'ai 16 ans et je suis très amoureuse. C'est normal, mais le problème (pour mes parents), c'est que l'homme que j'aime a 34 ans. Nous avons décidé de vivre ensemble, mais mes parents ne sont pas d'accord. Ils pensent que Cédric (c'est le prénom de mon amoureux) est trop vieux pour moi. De plus, ils voudraient que je termine mes études avant de vivre avec un homme. Moi, je sais que je travaillerais beaucoup mieux si j'habitais avec lui. Je serais plus tranquille. Je voudrais bien quitter la maison tout de suite, mais je ne suis pas majeure. Que dois-je faire? Merci de me donner des conseils, car je ne veux pas faire de bêtise.

Victoria – Longueuil

- Si vous étiez à leur place, que feriez-vous?
- Par deux, préparez une liste de conseils pour Éric et Victoria.

....
....
....
....
....
....
....

- Comparez vos conseils avec ceux des autres groupes.
- Discutez avec les autres apprenants pour choisir les meilleures idées.

12. Informez-vous.

• Lisez le texte.

> ### Changer d'apparence pour changer de vie?
>
> C'est ce que nous promettent certains magazines, de nombreux sites Internet ou les émissions de télévision spécialisées. Changer de coiffure ou de style vestimentaire peut paraitre superficiel. Pourtant, améliorer notre apparence physique contribue souvent à améliorer notre moral et à nous donner plus de confiance en nous. Nous avons tous fait l'expérience de journées difficiles, à cause d'un vêtement dans lequel nous nous sentions mal à l'aise. Le contraire est vrai aussi. Notre apparence serait donc un moyen de communication, aussi utile pour les autres que pour nous-mêmes. Être bien dans son corps pour être bien dans sa tête, ce serait le secret. Mais peut-on réellement penser qu'il suffirait de changer notre apparence pour tout changer? Et pourquoi faire appel à un spécialiste pour cela?

• Préparez des questions sur le texte pour vérifier votre compréhension.

....
....
....

• Posez vos questions et répondez aux questions des autres apprenants.

13. Discutez.

• Répondez aux questions pour préparer la discussion.

• Donnez votre opinion. Discutez avec les autres apprenants.

1. Êtes-vous intéressé(e) par les médias qui donnent des conseils en matière de mode ou de soins du corps et du visage? Pourquoi?

....

2. L'aspect physique est-il très important dans la vie? Donnez des exemples.

....

3. Aimeriez-vous rencontrer un(e) spécialiste capable de vous donner des conseils pour optimiser votre apparence? Expliquez votre réponse.

....

OUTILS

MÉTHODOLOGIE – L'articulation du discours

• Introduire une conséquence.

donc, alors, c'est pourquoi

*Exemple : L'apparence est importante, **donc** il faut y faire attention.*

• Opposer des faits ou des idées.

mais, pourtant, cependant

*Exemple : Mon ami se sent mal dans sa vie, **pourtant** il s'occupe beaucoup de son apparence.*

• Émettre des réserves.

bien sûr... mais...

*Exemple : **Bien sûr** il faut s'occuper de son apparence, **mais** il ne faut pas penser qu'à ça.*

14. Préparez-vous à l'épreuve d'expression orale.

Par deux.

- Dégagez le thème de ce document.

....

- Relevez les idées du texte que vous utiliserez dans votre présentation.
- Cherchez des idées personnelles complémentaires.
- Organisez toutes les idées retenues.

En groupe classe.

- Présentez le thème et les idées que vous avez préparées.
- Discutez avec les autres apprenants pour donner votre avis sur le sujet.

15. Interprétez.

- Julie, Annie et Marie-Soleil sont trois amies. Elles sont toujours très élégantes, car la mode est très importante pour elles. Pour Noël, elles sont invitées une semaine dans le nord chez des amis. Ils habitent une vieille ferme près d'une forêt. Il y fait très froid l'hiver et il neige énormément. Les trois jeunes femmes ne savent pas très bien comment préparer ce séjour.
- Donnez-leur des conseils pour préparer ces vacances.
- Faites deux groupes : les trois jeunes filles et les conseillers et conseillères.
- Discutez.

- Hakim, Nicolas et Maxime passent tout leur temps libre dans la nature. Faire du sport, jouer de la guitare, nager dans la rivière et piqueniquer sont leurs activités préférées. Ils sont invités au mariage de l'un de leurs amis, qui épouse une riche héritière. Ce grand mariage va durer quatre jours. Il aura lieu dans un très luxueux hôtel de la Vieille Capitale. Les trois jeunes hommes ne savent pas comment préparer ce séjour.
- Donnez-leur des conseils.
- Faites deux groupes : les trois jeunes hommes et les conseillers et conseillères.
- Discutez.

Bilan

//

1. Complétez le dialogue. 12 points

Attention, vous devez utiliser les outils proposés dans cette unité. Vous ne devez pas utiliser deux fois la même construction, ni reprendre les formes déjà contenues dans le dialogue.

A : Je ne sais pas quoi faire aujourd'hui.

B : (1) .... ?

A : Non. Il neige, il fait froid, je n'ai pas très envie de me promener.

B : (2) .... ?

A : Ah oui! Ça, c'est une bonne idée. On pourrait emmener les enfants?

B : (3) .... !

A : Pourquoi? Ils adorent ça. Bon, tu as une autre idée pour cet après-midi?

B : (4) ....

A : Oui, pourquoi pas? Mais finalement, je crois que je préfère rester à la maison.

B : (5) D'accord. .... ?

A : Oui bien sûr, si je peux faire quelque chose pour toi, je le ferai avec plaisir.

B : (6) .... ?

A : Ah non, ça je ne peux pas. Je suis désolée. Autre chose peut-être?

B : (7) .... ?

A : Ben... oui. D'accord. En passant, tu as besoin de ton vélo la semaine prochaine?

B : (8) ....

A : Dommage! Le mien a un pneu crevé et je ne sais pas comment le réparer.

B : (9) ....

A : Oui tu as raison, mais il est fermé pendant les vacances.

B : (10) ....

A : Ça, c'est une très bonne idée. Je suis sure qu'il sera capable de me le réparer. Un jour, il faudrait quand même que j'apprenne à le faire.

B : (11) ....

A : Oui, mais tu n'es pas à ma place! Et en ce moment, je n'ai pas assez d'argent pour m'en offrir un. Et toi, tu as choisi la voiture que tu vas acheter?

B : (12) .... ?

A : Franchement, je ne sais pas. Je ne peux pas te donner de conseil, je n'ai pas de voiture!

2. Complétez le texte avec les articulateurs du discours suivants.

Chaque mot ne peut être utilisé qu'une fois.

> d'abord (tout d'abord) – ensuite (puis) – enfin (finalement) – d'un côté... de l'autre... – de plus (par ailleurs) – par exemple – excepté (sauf) – donc (alors, c'est pourquoi) – mais (pourtant, cependant) – bien sûr... mais...

Faut-il toujours être gentil avec tout le monde?

(1) ...., il faut dire que c'est une très bonne idée d'être gentil avec les autres.

(2) ...., ce n'est pas toujours possible. Quand une personne est agressive, la gentillesse ne suffit pas toujours à la calmer. (3) ...., je pense que la gentillesse doit fonctionner dans les deux sens. (4) ...., il me semble inutile d'être gentil avec quelqu'un qui ne l'est pas.

(5) ...., je pense que pour certaines personnes, la gentillesse peut être une forme de faiblesse. (6) ...., ces personnes profitent de votre gentillesse, (7)........................, elles se moquent de vous quand vous n'êtes pas là. (8) ...., ce n'est pas très fréquent, (9) .... quand cela arrive, c'est très ennuyeux.

(10) ...., je crois qu'il est très difficile de changer de caractère, (11) .... si on le veut vraiment. (12) ...., j'ai un collègue qui était toujours assez désagréable avec moi quand il me parlait. Nous en avons discuté longuement et, depuis, il est beaucoup plus aimable avec moi. (13) .... , certaines personnes peuvent changer, mais d'autres ne le peuvent pas. Il faut les accepter comme elles sont.

Comptez vos points (1 point par réponse correcte)

→ **Vous avez plus de 20 points : BRAVO!** C'est très bien. Vous pouvez passer à l'unité suivante.

→ **Vous avez plus de 13 points :** C'est bien, mais regardez vos erreurs, cherchez les réponses possibles dans les leçons et refaites le test. Ensuite, passez à l'unité suivante.

→ **Vous avez moins de 13 points :** Vous n'avez pas bien mémorisé cette unité, reprenez-la, puis recommencez l'autoévaluation. Bon courage!

OUTILS GRAMMATICAUX : Le subjonctif présent.
OUTILS COMMUNICATIFS : Exprimer sa colère, son énervement. Exprimer une volonté, une nécessité avec « il faut que ».
MÉTHODOLOGIE : L'expression de l'opinion : *À mon avis, ... / D'après moi, ... – Je pense que... / Je crois que... / Il me semble que.../ Je trouve que...*

//

ESPACE DIGITAL 🎧 36
competences.cle-international.com

1. Écoutez et répondez.

Quel est le sentiment exprimé dans tous ces dialogues?

• Notez les mots ou les phrases qui expriment ce sentiment.

....

....

//

ESPACE DIGITAL 🎧 37
competences.cle-international.com

2. Répétez.

• Attention à l'intonation!

3. En groupe, imaginez la situation.

• Pour chaque minidialogue, imaginez la situation.

....

....

....

....

• Discutez avec les autres apprenants pour vous mettre d'accord.

4. Par deux, jouez la scène.

• Jouez la scène avec votre partenaire. Ajoutez des éléments complémentaires.

• N'oubliez pas d'utiliser les outils.

OUTILS

Exprimer sa colère, son énervement
• Ce n'est pas possible!   • Ça suffit!   • J'en ai assez!   • J'en ai *ras le bol!
• Ça ne peut plus durer!   • Trop c'est trop!   • Je n'en peux plus!   • *J'ai mon voyage!

La colère
Se mettre en colère – Être en colère – Être colérique (souvent en colère).
S'énerver – Être énervé(e) – Être nerveux(se) (souvent énervé(e)) – Énerver qqn (rendre qqn nerveux).
Se fâcher avec qqn (ne plus vouloir parler avec qqn) – Être fâché(e) avec qqn.

5. Faites passer la parole.

• Comme dans l'exemple, imaginez une situation en trois répliques.

Exemple :   *A : Tu entends le bruit chez les voisins?*

        B : Oui, ils exagèrent, trop c'est trop!

        A : Et c'est comme ça depuis une semaine! J'en ai assez!

6. Informez-vous et discutez.

1. De quoi les deux personnes parlent-elles?

2. Pourquoi l'homme est-il en colère?

3. Quelles raisons M. Bergeron a-t-il données pour ne pas signer?

• Prenez des notes.

....

....

....

....

....

....

• Discutez avec les autres apprenants pour vérifier ou compléter vos informations.

7. Par deux, jouez la scène.

Une femme : Alors, tu as vu monsieur Bergeron? Vous vous êtes mis d'accord pour la vente de la maison?

Un homme : Pas encore, je n'en peux plus! ...

OUTILS

Les verbes qui expriment une volonté

J'aimerais
Je souhaite
Je désire   } + verbe à l'infinitif
Je voudrais   **sortir**
Je veux
J'espère

J'ai envie **de**
J'accepte **de**   } + verbe à l'infinitif
Je refuse **de**   **lire**
J'exige **de**

• On utilise l'infinitif après les verbes de volonté quand les deux verbes ont le même sujet.

8. Par deux, échangez des informations.

• Choisissez chacun une fiche et complétez la liste des propositions que vous allez faire à votre partenaire.

• Utilisez le verbe le mieux adapté pour poser la question à votre partenaire.

• Répondez...

Exemple :   A : Est-ce que tu as envie de manger un gâteau?

           B : Ah non! Ça suffit! C'est la troisième fois que tu me le proposes!

FICHE A	FICHE B
Venir chez moi.	**Faire un voyage dans l'espace.**
....	....
....	....
....	....
....	....
....	....
....	....
....	....
....	....

9. Par deux, jouez la scène.

- Ils viennent de se marier, mais ils ne rêvent pas exactement de la même vie.
- Elle, elle aimerait qu'ils vivent à Montréal, qu'ils sortent tous les soirs, qu'ils aient beaucoup d'amis, qu'ils voyagent tout autour du monde, ...
- Lui, il voudrait qu'ils habitent une jolie maison dans les Laurentides, qu'ils aient beaucoup d'enfants et des animaux, qu'ils reçoivent leurs amis à la maison quelquefois la fin de semaine...
- Imaginez leur conversation. Chacun parle de ce qu'il désire et demande à l'autre ce qu'il souhaite.
- Choisissez un rôle et notez vos idées.

....
....
....
....

- Jouez la scène avec votre partenaire.

ESPACE DIGITAL **39**
competences.cle-international.com

10. Informez-vous et discutez.

- Écoutez le dialogue et répondez aux questions.

1. Quelle est la relation entre les deux personnes qui parlent ?

2. Pourquoi la femme est-elle en colère ?

3. Que veut-elle ?

- Prenez des notes.

....
....
....

- Discutez avec les autres apprenants pour vérifier ou compléter vos informations.

11. Par deux, jouez la scène.

• Imaginez la suite du dialogue entre les deux personnes.

• Jouez la scène avec votre partenaire.

• Utilisez les outils ci-dessous.

La femme : Stéphane, j'en ai assez, je voudrais que tu m'aides un peu plus à la maison !

Stéphane : Mais qu'est-ce que tu veux que je fasse ?

OUTILS

Le subjonctif présent

• **Radical :** Verbe au présent avec « ils » : ils parlent, ils finissent, ils partent, ils lisent, ils vendent, ils viennent...

• **Terminaisons :** je **-e**, tu **-es**, il/elle **-e**, ils/elles **-ent** : *que je parle / que tu finisses / qu'il parte / qu'ils lisent.* Pour **nous** et **vous**, les formes sont les mêmes qu'à l'imparfait : *que nous parlions, que vous finissiez*

Verbes irréguliers :

ÊTRE	AVOIR	ALLER	
que je sois	que j'aie	que j'aille	**Faire :** que je fasse
que tu sois	que tu aies	que tu ailles	**Pouvoir :** que je puisse
qu'il soit	qu'il ait	qu'il aille	**Savoir :** que je sache
que nous soyons	que nous ayons	que nous allions	**Les terminaisons :**
que vous soyez	que vous ayez	que vous alliez	je **-e**, tu **-es**, il/elle **-e**,
qu'ils soient	qu'ils aient	qu'ils aillent	nous **-ions**, vous **-iez**, ils/elles **-ent**.

Utilisation :

• Après les verbes et les locutions verbales qui expriment **une volonté, sauf « espérer ».**

Exemples : Je veux, je souhaite, j'aimerais, j'accepte, j'ai envie... **que tu viennes.**

Exception : J'espère **que tu viendras.**

• Après la construction impersonnelle « il faut que »

Exemples : Il faut **que nous fassions** *un voyage de noces. Il ne faut <u>pas</u>* **que tu sois** *malade.*

Pour exprimer une obligation générale, on utilise « il faut » + le verbe à l'infinitif.

Exemples : Il faut faire un voyage de noces. Il ne faut pas être malade.

12. Discutez.

• L'un de vos amis a beaucoup changé.

• Vous l'aimez beaucoup, mais vous aimeriez qu'il redevienne comme avant : dynamique, sportif, élégant, charmant, etc.

• Imaginez ce que vous aimeriez qu'il fasse.

• Discutez avec les autres apprenants.

Exemple : *– Moi, j'aimerais bien qu'il fasse un peu de ménage chez lui, c'est trop sale.*

– Moi aussi. Il faut qu'on l'aide. Je voudrais aussi qu'il sorte avec nous. On pourrait aller au cinéma cette fin de semaine ?

13. Informez-vous.

• Lisez le texte.

Comment va le monde?

Pour beaucoup d'entre nous, le monde dans lequel nous vivons n'est pas un paradis. Pour certains, il est trop injuste, d'autres trouvent qu'il est trop violent, d'autres encore pensent que les êtres humains ne sont pas assez respectueux de notre planète. Alors, que faut-il combattre en priorité pour redonner un peu d'espoir à notre monde? Les défenseurs des droits voudraient que tous les êtres humains puissent vivre libres et manger à leur faim.

Les pacifistes souhaitent qu'enfin, les guerres disparaissent de notre planète, mais est-ce vraiment possible? Enfin, les écologistes espèrent que nous serons assez raisonnables pour ne pas détruire notre Terre et que nous saurons contrôler notre consommation. Nous voulons tous vivre dans un monde meilleur, mais serons-nous capables de faire les efforts nécessaires pour réussir à le faire?

• Préparez des questions sur le texte pour vérifier votre compréhension.

....

....

....

• Posez vos questions et répondez aux questions des autres apprenants.

14. Discutez.

• Répondez aux questions pour préparer la discussion.

• Donnez votre opinion. Discutez avec les autres apprenants.

1. Parmi les trois problèmes évoqués dans le document, lequel vous semble le plus important? Pourquoi?

....

2. D'après vous, y a-t-il d'autres dangers qui menacent notre monde? Si oui, lesquels?

....

3. Êtes-vous plutôt optimiste ou pessimiste pour le futur? Expliquez votre réponse.

....

OUTILS

MÉTHODOLOGIE – L'expression de l'opinion

Dans le monologue suivi, après avoir présenté vos idées, vous devez donner votre opinion personnelle sur le sujet.

Pour faire clairement la différence entre l'exposition des idées et l'expression de votre opinion, vous devez utiliser les formes suivantes.

• **À mon avis, … / D'après moi, … / Selon moi, …** + une phrase exprimant votre opinion.

Exemples : **D'après moi**, *il faut surtout que nous respections notre planète.* **Selon moi**, *nous devrions aussi faire plus attention aux gens qui nous entourent.*

• **Je pense que… / Je crois que… / Il me semble que… / Je trouve que…**

Exemples : **Il me semble que** *nous ne pourrons pas arrêter de faire la guerre.* **Je crois qu'**il y aura toujours des gens prêts à se battre.* **Je trouve que** *c'est dommage.*

15. Préparez-vous à l'épreuve d'expression orale.

Par deux.

• Dégagez le thème de ce document.

....

• Relevez les idées du texte que vous utiliserez dans votre présentation.

• Cherchez des idées personnelles complémentaires.

• Organisez toutes les idées retenues.

• Donnez votre opinion personnelle sur ce sujet.

En groupe classe.

• Présentez le thème et les idées que vous avez préparées.

• Discutez avec les autres apprenants. Donnez votre avis sur le sujet. Utilisez les outils.

16. Discutez.

Manifester : un bon moyen d'agir ?

• Pour quelle raison, selon vous, tous ces gens ont décidé de participer à cette manifestation ?

1. Seriez-vous prêt à descendre dans la rue pour manifester ?

2. Si oui, pour quelle cause ?

3. Les manifestations sont-elles utiles ?

4. Quels autres moyens d'action vous semblent plus efficaces ?

• Discutez avec les autres apprenants. Exprimez votre opinion. Écoutez celle des autres.

• Essayez de convaincre ceux qui ne sont pas de votre avis.

OUTILS GRAMMATICAUX : Le subjonctif présent après les verbes de sentiment.
OUTILS COMMUNICATIFS : Exprimer sa surprise. Annoncer une nouvelle.
MÉTHODOLOGIE : L'expression de l'opinion : *J'ai l'impression que / J'estime que / Je dirais que / Je suppose que / J'imagine que... – Je ne pense pas que / Je ne crois pas que / Je n'ai pas l'impression que...*

// ESPACE DIGITAL 🎧 40
competences.cle-international.com

1. Écoutez et répondez.

Quel est le sentiment exprimé dans tous ces dialogues?

• Notez les mots ou les phrases qui expriment ce sentiment.

....

....

// ESPACE DIGITAL 🎧 41
competences.cle-international.com

2. Répétez.

• Attention à l'intonation!

3. En groupe, imaginez la situation.

• Pour chaque minidialogue, imaginez la situation.

....

....

• Discutez avec les autres apprenants pour vous mettre d'accord.

4. Par deux, jouez la scène.

• Jouez la scène avec votre partenaire. Ajoutez des éléments complémentaires.

• N'oubliez pas d'utiliser les outils.

OUTILS

Exprimer sa surprise ou ses doutes

Par l'exclamation	Par la question
• Voyons! Voyons donc! Je ne peux pas y croire! Je n'en reviens pas! • C'est incroyable! C'est inimaginable! • *Ouais, c'est ça! C'est fou! Ce n'est pas vrai! • Ce n'est pas possible! *Pas possible!	• Tu n'es pas sérieux(se)? / Vous n'êtes pas sérieux(ses)? • *Pour de vrai? • Tu me *niaises? / Vous me *niaisez?

• Être surpris(e), étonné(e) – Surprendre qqn = étonner qqn.
• Être crédule (croire tout ce qu'on vous dit) ≠ incrédule – La crédulité ≠ l'incrédulité – Être naïf, naïve.

5. Faites passer la parole.

• Comme dans l'exemple, imaginez une situation en quatre répliques.

Exemple :   A : *Tu as vu, quelqu'un a volé la machine à café.*

B : **Pour de vrai?*

A : *Non, pas du tout.*

B : *Mais ce n'est pas possible! Elle est énorme. Je n'en reviens pas!*

6. Informez-vous et discutez.

1. Quelle est la relation entre les deux personnes qui parlent?

2. Que vont-ils faire cette fin de semaine? Pourquoi?

3. L'homme est-il content? Pourquoi?

• Prenez des notes.

....

....

....

....

....

....

• Discutez avec les autres apprenants pour vérifier ou compléter vos informations.

7. Par deux, jouez la scène.

Laurence : Ah, François! Tu connais la nouvelle?

François : Non, qu'est-ce qui se passe?

OUTILS

Annoncer une nouvelle

Tu sais ce qui s'est passé? Tu sais ce qui est arrivé?

Tu sais ce qui est arrivé à François? Tu sais ce qui m'est arrivé?

Tu ne devineras jamais ce qui m'est arrivé! / ce qui s'est passé!

Tu connais la nouvelle?

Tu es au courant?

* Tu sais quoi?

8. Par deux, échangez des informations.

• Choisissez chacun une fiche et complétez la liste des nouvelles, bonnes et mauvaises, que vous allez annoncer à votre partenaire.

• Annoncez vos nouvelles à votre partenaire. Exprimez votre surprise à l'annonce de ses nouvelles, posez-lui des questions et essayez de continuer le dialogue le plus longtemps possible.

FICHE A
Bonnes nouvelles
Je vais me marier!
....
....
....
Mauvaises nouvelles
....
....
....
....

FICHE B
Bonnes nouvelles
....
....
....
....
Mauvaises nouvelles
J'ai perdu mon téléphone!
....
....
....

ESPACE DIGITAL **43**
competences.cle-international.com

9. Informez-vous et discutez.

• Écoutez le dialogue et répondez aux questions.

1. Quelle est la relation entre les deux personnes qui parlent?

2. Quelles sont les deux nouvelles annoncées par la femme?

3. Comment l'homme réagit-il?

• Prenez des notes.

....

....

....

• Discutez avec les autres apprenants pour vérifier ou compléter vos informations.

10. Par deux, jouez la scène.

• Imaginez la suite du dialogue entre les deux personnes.

• Jouez la scène avec votre partenaire.

• Utilisez les outils ci-dessous.

Une femme : Tu ne devineras jamais ce qui m'est arrivé aujourd'hui!

Un homme : Quoi? Qu'est-ce qui t'es arrivé?

OUTILS

Le subjonctif après les verbes qui expriment

On utilise le subjonctif après les verbes ou les locutions verbales ... quand les deux verbes ont un sujet différent.

• J'aime, j'adore, je déteste, je préfère, je regrette...
• J'ai horreur, j'ai peur...   } **qu'il p**
• Je suis heureux(se), triste, surpris(e), désolé(e), déçu(e)...

L'infinitif

Quand les deux verbes ont le même sujet, le deuxième verbe est à l'infinitif.

• J'aime, j'adore, je déteste, je préfère... **partir**.

Attention! Je regrette, j'ai horreur, j'ai peur, je suis heureux(se)... **de partir**.

11. Donnez la réplique.

• Un(e) apprenant(e) lit la première phrase.

• Son ou sa partenaire lui donne la réplique en utilisant des verbes au subjonctif et à l'infinitif.

Exemple :   A : *Oh! Il pleut!*

   B : *Oh non! Je déteste qu'il pleuve! Si ça continue, je préfère rester à la maison.*

Premières phrases :

On va au cinéma? – Ma mère vient souper à la maison ce soir. – Les enfants dorment chez leurs amis cette fin de semaine. – Pourquoi tu as acheté cette voiture? – Tu veux jouer aux quilles avec nous?

• Imaginez d'autres phrases pour continuer l'exercice.

12. Par deux, jouez la scène.

- Dans votre famille, chacun a ses qualités et ses défauts. Votre mari, votre frère, vos parents, les enfants de votre sœur...
- Qu'est-ce que vous aimez, adorez, détestez qu'ils fassent ? Pourquoi ? Qu'est-ce que vous aimez faire tous ensemble ?

Exemple : – *J'adore que ma sœur s'habille en star de cinéma quand nous sortons le soir parce que tout le monde se demande qui elle est. Il y a même des gens qui lui demandent de signer des autographes. C'est très amusant. J'aime beaucoup que nous sortions tous ensemble le soir. Et toi ? Qu'est-ce que tu aimes que les autres fassent ?*
– Moi, ...

- Vous discutez de tout cela avec votre ami(e).
- Vous pouvez vous inspirer des photos, mais vous pouvez aussi imaginer d'autres situations.
- Jouez la scène avec votre partenaire.

13. Informez-vous.

• Lisez le texte.

> **Bébé sur mesure : faut-il fixer des limites?**
>
> Depuis toujours, les êtres humains se reproduisent naturellement, et nous étions nombreux à penser que cela continuerait éternellement. Mais c'était sans compter avec les découvertes médicales de ces dernières décennies. Avec l'arrivée de la fécondation in vitro, la fécondation en laboratoire, il est aujourd'hui possible de sélectionner et même de modifier le futur bébé. Choisir le sexe de son enfant, la couleur de ses yeux est maintenant permis dans certains pays comme les États-Unis. Si ces nouvelles technologies permettent de ne pas transmettre les maladies génétiques des parents à leur enfant, elles ouvrent aussi la porte à toutes sortes de modifications inutiles à la santé du futur bébé. Est-il nécessaire de choisir la couleur de ses cheveux, sa taille, ses qualités ou son niveau d'intelligence? Le débat ne fait que commencer.

• Préparez des questions sur le texte pour vérifier votre compréhension.

....

....

....

• Posez vos questions et répondez aux questions des autres apprenants.

14. Discutez.

• Répondez aux questions pour préparer la discussion.

• Donnez votre opinion. Discutez avec les autres apprenants.

1. Selon vous, la fécondation in vitro est-elle utile?

....

2. Si vous pouviez choisir, quelles qualités choisiriez-vous pour votre futur bébé? Pourquoi?

....

3. Que deviendrait le monde si tous les bébés étaient parfaits?

....

OUTILS

MÉTHODOLOGIE – L'expression de l'opinion

Pour éviter les répétitions, vous pouvez aussi utiliser les verbes suivants :

• **J'ai l'impression que / j'estime que / je dirais que**...

*Exemple : **Je dirais que** cette idée est intéressante.*

• **Je suppose que / j'imagine que**...

*Exemple : **Je suppose que** nous devons accepter le progrès.*

À la forme négative, les verbes d'opinion sont suivis d'une phrase au subjonctif.

• **Je ne pense pas que / je ne crois pas que**... + verbe au subjonctif

*Exemples : **Je ne pense pas que** ce <u>soit</u> un sujet qui concerne l'État.*

***Je ne crois pas que** nous <u>puissions</u> faire ce que l'on veut dans ce domaine.*

• **Je n'ai pas l'impression que**...

*Exemple : **Je n'ai pas l'impression que** nous <u>soyons</u> prêts pour ces changements.*

15. Préparez-vous à l'épreuve d'expression orale.

Par deux.

• Dégagez le thème de ce document.

....

• Relevez les idées du texte que vous utiliserez dans votre présentation.

• Cherchez des idées personnelles complémentaires.

• Organisez toutes les idées retenues.

• Donnez votre opinion personnelle sur ce sujet.

En groupe classe.

• Présentez le thème et les idées que vous avez préparées.

• Discutez avec les autres apprenants. Donnez votre avis sur le sujet. Utilisez les outils.

16. Discutez.

Pourquoi ces hommes et ces femmes sont-ils tous identiques?

1. Que représentent ces photos?

2. Qu'est-ce qu'elles évoquent pour vous?

3. Est-il plutôt facile ou difficile d'être différent des autres dans notre société?

4. Le monde serait-il meilleur si nous étions tous parfaits?

• Discutez avec les autres apprenants. Exprimez votre opinion. Écoutez celle des autres.

• Essayez de convaincre ceux qui ne sont pas de votre avis.

PORTER UN JUGEMENT

1. Imiter

OUTILS GRAMMATICAUX : Les constructions impersonnelles avec l'infinitif. Les constructions impersonnelles avec le subjonctif.
OUTILS COMMUNICATIFS : Demander son avis à quelqu'un. Exprimer son accord ou son désaccord.
MÉTHODOLOGIE : Justifier son opinion en portant un jugement.

//
ESPACE DIGITAL **44**
competences.cle-international.com

1. Écoutez et répondez.

Qu'y a-t-il de commun dans tous ces dialogues?

• Notez les expressions utilisées pour exprimer ce point commun.

....

....

//
ESPACE DIGITAL **45**
competences.cle-international.com

2. Répétez.

• Attention à l'intonation!

3. En groupe, imaginez la situation.

• Pour chaque minidialogue, imaginez la situation.

....

....

• Discutez avec les autres apprenants pour vous mettre d'accord.

4. Par deux, jouez la scène.

• Jouez la scène avec votre partenaire. Ajoutez des éléments complémentaires.

• N'oubliez pas d'utiliser les outils.

OUTILS

Demander son avis à quelqu'un

• **Qu'est-ce tu penses de**... **Qu'est-ce que vous pensez de**...
Qu'est-ce que vous pensez de ce nouveau projet?
• *À mon avis, il faut tout changer.* **Qu'en penses-tu? / Qu'en dis-tu?/ Qu'en pensez-vous? / Qu'en dites-vous? (Qu'est-ce que tu en penses? / Qu'est-ce que tu en dis?)**

Exprimer son accord ou son désaccord

• **Je suis (tout à fait) d'accord. Je ne suis pas (du tout) d'accord** (avec toi / avec vous).
• **Je suis (tout à fait) de ton / votre avis. Je ne suis (pas du tout) de ton / votre avis.**
• **Je suis pour** cette réforme. **Je suis contre** ce projet.
• **Tu as / Vous avez raison. Tu as / Vous avez tort.**

5. Faites passer la parole.

• Comme dans l'exemple, imaginez une situation en deux répliques.

Exemple :   *A : Le français, c'est très facile. Qu'est-ce que tu en penses?*

   B : Je ne suis pas du tout de ton avis. Je trouve au contraire que c'est très difficile.

6. Informez-vous et discutez.

1. Où se passe la scène et qui sont les deux personnes qui parlent?

2. De quoi parlent-elles?

3. Mme Roy est-elle satisfaite? Qu'est-ce qu'elle souhaite?

4. L'homme est-il d'accord avec elle?

• Prenez des notes.

....

....

....

....

....

• Discutez avec les autres apprenants pour vérifier ou compléter vos informations.

7. Par deux, jouez la scène.

Le directeur : Alors, madame Roy, que pensez-vous de votre nouveau bureau?

Mme Roy : Il est très bien, monsieur le directeur, mais... d'après moi, il est nécessaire...

OUTILS

Les constructions impersonnelles avec l'infinitif

Les formes impersonnelles **il est/c'est**, suivies d'un adjectif, permettent d'exprimer un jugement. Elles sont suivies de « de » et d'un verbe à l'infinitif.

• Il est (c'est) nécessaire / utile / pratique...
• Il est (c'est) possible / interdit / dangereux... } **de** + *verbe à l'infinitif*
• Il est (c'est) agréable / ennuyeux / amusant...

Exemple : Il est nécessaire de travailler pour réussir, mais c'est parfois ennuyant de travailler.

---

8. Par deux, échangez des informations.

• Comment voyez-vous la vie au Québec?

• Choisissez chacun une fiche et complétez-la comme vous le souhaitez.

• Présentez vos idées à votre partenaire. Discutez si vous n'êtes pas d'accord.

Exemple : − À mon avis, au Québec, c'est nécessaire de parler français.

− Je ne suis pas d'accord. C'est toujours possible de parler anglais. D'après moi, il est...

FICHE A
Au Québec, c'est nécessaire de ....
....
C'est agréable de ....
....
C'est impossible de ....
....
C'est ....
....
C'est ....
....

FICHE B
Au Québec, c'est difficile de ....
....
C'est normal de ....
....
C'est bizarre de ....
....
C'est ....
....
C'est ....
....

//

9. Par deux, jouez la scène.

• Vous êtes deux ami(e)s et vous devez partir en vacances ensemble, mais vous n'avez pas vraiment les mêmes idées sur les vacances idéales.

• Choisissez chacun trois photos. Proposez à votre ami(e) ces trois activités pour vos vacances et essayez de le convaincre que vos choix sont les meilleurs.

• Réagissez aux propositions de votre ami(e). Exprimez votre opinion et vos jugements.

• Notez vos idées.

....

....

....

....

• Quand vous avez terminé, en groupe classe, discutez avec les autres apprenants pour donner votre opinion sur chacune de ces activités.

//

ESPACE DIGITAL 🎧 **47**
competences.cle-international.com

10. Informez-vous et discutez.

• Écoutez le dialogue et prenez des notes.

....

....

....

....

• Discutez avec les autres apprenants pour vérifier votre compréhension.

11. Par deux, jouez la scène.

• Imaginez la suite du dialogue entre les deux personnes.

• Jouez la scène avec votre partenaire.

• Utilisez les outils ci-dessous.

Le mari : Alice, *attends-moi pas pour souper ce soir, c'est possible que je sois obligé de travailler tard.

La femme : Tu n'est pas sérieux?...

OUTILS

Les constructions impersonnelles avec le subjonctif

• Les formes impersonnelles : **il est/c'est** + adjectif, sont suivies d'une phrase au subjonctif quand le deuxième verbe a un sujet propre.

*Exemple : Il est (c'est) nécessaire **que tu fasses** des commissions pour le repas de ce soir.*

• Attention! Les constructions impersonnelles qui expriment une certitude ou une forte probabilité ne sont pas suivies du subjonctif.

*Exemple : Il est (c'est) **sûr / certain / évident / clair / probable**... qu'il <u>a changé</u> / qu'il <u>change</u> / qu'il <u>changera</u>.*

12. Imaginez.

Vous avez acheté ce vieux chalet en ruine pour y passer vos vacances tous ensemble. Bien sûr, avant de vous y installer, il faut y faire quelques travaux.

• Par petits groupes, vous allez préparer la liste de ce qui est nécessaire, inutile, indispensable, possible... que vous fassiez avant de pouvoir y vivre.

• Notez vos idées.

....

....

....

• En groupe classe, présentez vos idées aux autres groupes.

• Discutez tous ensemble et choisissez les meilleures idées.

13. Informez-vous.

• Lisez le texte.

> **Mais pourquoi ouvrir les magasins le dimanche?**
>
> Au Québec, jusque dans les années 1990, les magasins étaient fermés le dimanche. Les grandes surfaces, entre autres, recevaient des amendes importantes si elles ouvraient leurs portes. À présent, les commerces québécois ont le droit d'être ouverts tous les jours et beaucoup d'entre eux le sont sept jours sur sept. En France, la loi prévenait l'ouverture des magasins le dimanche jusqu'à récemment, mais là aussi, les choses changent. Auparavant, la journée du dimanche était consacrée à la famille, aux amis et aux loisirs. C'était donc une véritable pause : nous pouvions enfin penser à autre chose qu'à dépenser notre argent. Malheureusement, consommer est maintenant, pour beaucoup d'entre nous, une priorité. Ce changement de société marque la fin des longs repas de famille dominicaux, la fin du temps vraiment libre, celui pendant lequel il n'y a rien à faire.

• Préparez des questions sur le texte pour vérifier votre compréhension.

....

....

....

• Posez vos questions et répondez aux questions des autres apprenants.

14. Discutez.

• Répondez aux questions pour préparer la discussion.

• Donnez votre opinion. Discutez avec les autres apprenants.

1. Est-ce que c'est le gouvernement qui doit décider de l'ouverture des magasins le dimanche? Justifiez votre réponse.

....

2. Pourquoi l'ouverture des magasins tous les jours est-elle de plus en plus fréquente dans notre société?

....

3. Pouvez-vous imaginer la personne qui a écrit cet article (âge, caractère...)?

....

MÉTHODOLOGIE – Justifier son opinion en portant un jugement

Dans le monologue suivi, vous devez expliquer ou justifier votre opinion. Vous devez porter un jugement.

• Pour cela, vous pouvez utiliser les constructions impersonnelles accompagnées d'un adjectif.
Exemple : **Je pense que** *la fermeture des magasins le dimanche pose beaucoup de problèmes. En effet,* **il est** *très difficile* **de** *magasiner pendant la semaine quand on travaille.* **C'est** *anormal* **que** *le gouvernement puisse prendre des décisions de ce genre.*

• D'autres constructions verbales accompagnées d'un adjectif peuvent aussi exprimer un jugement.
Cette idée **me parait/me semble** *intéressante. / difficile à réaliser.*
Ce projet, **je le trouve** *inacceptable / médiocre / excellent.* **Je trouve** *ce projet inacceptable...*
Je trouve *dommage / nécessaire / réaliste... que ce projet soit abandonné.* (Cette construction est suivie d'une phrase au subjonctif.)

OUTILS

15. Préparez-vous à l'épreuve d'expression orale.

Par deux.

• Dégagez le thème de ce document.

....

• Relevez les idées du texte que vous utiliserez dans votre présentation.

• Cherchez des idées personnelles complémentaires.

• Organisez toutes les idées retenues.

• Donnez votre opinion personnelle sur ce sujet et justifiez-la.

En groupe classe.

• Présentez le thème et les idées que vous avez préparées.

• Discutez avec les autres apprenants. Donnez votre avis sur le sujet. Utilisez les outils.

16. Discutez.

Et si, un jour, il n'y avait plus de magasins?

1. Que font-ils?

2. Et vous, faites-vous beaucoup d'achats sur Internet? Pourquoi?

3. Quelles conséquences les achats sur Internet peuvent-ils avoir sur les magasins?

4. Les magasins pourraient-ils disparaitre?

5. Pouvez-vous imaginer une ville sans magasins?

• Discutez avec les autres apprenants. Exprimez votre opinion. Écoutez celle des autres.

• Essayez de convaincre ceux qui ne sont pas de votre avis.

Bilan

//

1. Complétez le dialogue. 14 points

Attention, vous devez utiliser les outils proposés dans cette unité. Vous ne devez pas utiliser deux fois la même construction, ni reprendre les formes déjà contenues dans le dialogue.

A : Mauvaise nouvelle! Il n'y a plus de place pour le concert de samedi!

B : (1) .... !

A : Ne t'énerve pas, ça ne sert à rien. Qu'est-ce que tu voudrais faire d'autre?

B : (2) ....

A : Moi aussi. C'est une très bonne idée mais, on y va seuls ou avec les enfants?

B : (3) Je ....

A : Oui, tu as raison. Ils seront très contents. À propos des enfants, j'ai oublié de te dire que Jacob a gagné le concours de dessin de son école.

B : (4) ....

A : Oui, je te le jure! Il était très étonné, mais je crois qu'il était très fier aussi.

B : (5) Et moi, ...

A : Non, quoi? Tu as eu un problème?

B : Non, pas un problème. J'ai rencontré Lucas, mon ancien ami de cégep. Il veut nous inviter à souper la semaine prochaine. (6) .... ?

A : Eh bien, je ne sais pas. Il habite loin. Si tu veux, on peut l'inviter chez nous?

B : (7) ....

A : Alors c'est parfait. Dis-lui de venir avec sa blonde, ce sera plus sympathique.

B : (8) Oui, ...

A : Je vais préparer un bon repas. Tu as une idée de ce que je pourrais faire?

B : (9) Oui, ...

A : Tu me demandes toujours la même chose! Bon, si vraiment ça te fait plaisir, je ferai ça.

B : Et on pourrait peut-être ouvrir le champagne pour ces retrouvailles. C'est une bonne occasion, non?

A : (10) ....

B : Pas du tout, je suis très sérieuse au contraire. Et je vais même acheter du caviar pour aller avec!

A : (11) ....

B : Ah non, tu l'as cru? Je n'étais pas sérieuse. Bien sûr que je ne vais pas acheter de caviar. Mais pour le champagne, (12) .... ?

A : Je pense que c'est une très bonne idée.

B : Je suis contente que **(13)** ....

A : Et si on invitait Sarah et Simon en même temps?

B : Ah non, je **(14)** ....

A : Bon, ne recommence pas à t'énerver. On les invitera seuls.

2. Complétez le texte avec les formes suivantes.   11 points
Chaque forme ne peut être utilisée qu'une fois.

> À mon avis, … (D'après moi, … / Selon moi, …) – Je pense que… (Je crois que… / Il me semble que… / Je trouve que… / J'estime que…) – Je ne pense pas que… – Il est… de – C'est… que / Ce serait… que – …me parait (me semble) – Je le (la) trouve… – Je trouve… que

Que faire pour vivre dans un monde meilleur?

La question est très complexe et **(1)** .... chaque personne proposera une réponse différente. Mais, **(2)** ...., il faudrait tout d'abord que ce monde soit plus juste. **(3)** .... les inégalités sont trop importantes aujourd'hui. **(4)** .... il soit nécessaire que tous les êtres humains soient absolument égaux. Cette idée ne **(5)** .... pas très réaliste de toute façon. **(6)** .... même un peu naïve. Mais **(7)** .... chacun doit pouvoir se nourrir, se vêtir et se loger correctement. Aussi, **(8)** .... important .... tous les enfants puissent aller à l'école et qu'ils reçoivent une bonne éducation. **(9)** .... si nous pouvons obtenir cela pour tous, le monde sera déjà bien meilleur. Malheureusement, **(10)** .... difficile… changer les choses, mais **(11)** .... bien .... chacun d'entre nous fasse un petit geste pour nous aider à aller vers plus d'humanité.

PRÉCISER SA PENSÉE

1. Imiter

OUTILS GRAMMATICAUX : La question complexe. La négation complexe. La négation avec « aucun/aucune ».
OUTILS COMMUNICATIFS : Demander et donner des informations complexes.
MÉTHODOLOGIE : Réagir dans le débat : confirmer sa position ou approuver les positions de son interlocuteur.

///

ESPACE DIGITAL 🎧 48
competences.cle-international.com

1. Écoutez et répondez.

Combien d'informations différentes sont demandées dans chacune de ces questions?

• Notez la question posée dans chacun des dialogues.

....

....

///

ESPACE DIGITAL 🎧 49
competences.cle-international.com

2. Répétez.

• Attention à l'intonation!

3. En groupe, imaginez la situation.

• Pour chaque minidialogue, imaginez la situation.

....

....

....

• Discutez avec les autres apprenants pour vous mettre d'accord.

4. Par deux, jouez la scène.

• Jouez la scène avec votre partenaire. Ajoutez des éléments complémentaires.

• N'oubliez pas d'utiliser les outils.

OUTILS

La question complexe

On peut demander plusieurs informations dans une même question.

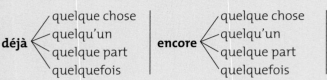

déjà ⟨ quelque chose / quelqu'un / quelque part / quelquefois

encore ⟨ quelque chose / quelqu'un / quelque part / quelquefois

toujours ⟨ quelque chose / quelqu'un / quelque part

*Exemples : Il y a **déjà quelqu'un** dans la salle? Tu es **déjà** allé(e) **quelque part** dans le nord?*
*Tu as **encore quelque chose** à faire? Il va **encore** chez sa mère **quelquefois**?*
*Pourquoi veut-il **toujours** aller **quelque part**? Tu écoutes **toujours quelque chose** sur cette radio?*

5. Faites passer la parole.

• Comme dans l'exemple, imaginez une situation en deux répliques. Répondez « oui » aux questions.

Exemple :   A : Tu as déjà fait quelque chose pour le cours de français de demain?
*   B : Oui, j'ai déjà fait le premier exercice.*

6. Informez-vous et discutez.

1. Qui sont les deux personnes qui parlent?

2. De quoi parlent-elles?

• Notez les constructions négatives.

• Prenez des notes.

....
....
....
....

• Discutez avec les autres apprenants pour vérifier ou compléter vos informations.

7. Par deux, jouez la scène.

– Suzie! Tu as déjà envoyé les bons de commande?

– Non, je n'ai encore rien envoyé, mais je vais...

La négation complexe

≠ déjà quelque chose / quelqu'un / quelque part / quelquefois	≠ encore qqch. / qqn / quelque part / quelquefois	≠ toujours qqch. / qqn / quelque part
Je n'ai **encore rien** lu.	Je n'ai **plus** vu **personne**.	Je n'ai **jamais** vu **personne**.
Je n'ai **encore** vu **personne**.	Je n'ai **plus rien** lu.	Je n'ai **jamais rien** lu.
Je **ne** suis **encore** allé(e) **nulle part**.	Je **ne** suis **plus** allé(e) **nulle part**.	Je **ne** suis **jamais** allé(e) **nulle part**.
Je **ne** l'ai **encore jamais** vu(e).	Je **ne** l'ai **plus jamais** vu(e).	
Personne n'est **encore** venu.	**Personne n'a plus** parlé.	**Personne n'a jamais** volé.
Rien n'est **encore** arrivé.	**Rien n'**est **plus** arrivé.	**Rien n'a jamais** été expliqué.

OUTILS

8. Par deux, échangez des informations.

• Sur la fiche, préparez trois questions complexes en relation avec la photo ci-dessous.

Exemple : Tu crois qu'il y a encore quelque chose qui pousse ici?

• Posez vos questions et répondez négativement à celles de votre partenaire.

....
....
....
....
....

9. Par deux, jouez la scène.

• Ils sont frère et sœur, mais ils ne se ressemblent pas du tout.

• Ils ne supportent pas le mode de vie de l'autre et ils se disputent régulièrement.

• Imaginez leur conversation. Pensez à utiliser les questions et les négations complexes.

Exemple :   *A : Toi, tu es insupportable, tu ne ranges jamais rien !*

           B : Bien sûr, tu as toujours quelque chose à me reprocher ! Mais, ...

• Choisissez un rôle et préparez quelques phrases complexes à utiliser dans le dialogue.

....

....

....

....

....

....

• Jouez la scène avec votre partenaire.

10. Informez-vous et discutez.

• Écoutez le dialogue et répondez aux questions.

1. De quoi les deux hommes parlent-ils?

2. Pourquoi Francis est-il étonné?

• Prenez des notes.

....

....

....

• Discutez avec les autres apprenants pour vérifier ou compléter vos informations.

11. Par deux, jouez la scène.

• Imaginez la suite du dialogue entre les deux personnes.

• Jouez la scène avec votre partenaire.

• Utilisez les outils ci-dessous.

Francis : Ah Dominic, salut! Tu écoutes le hockey à la télévision?

Dominic : Non, je n'écoute aucun match de...

OUTILS

La négation avec « aucun/aucune »

• Vous avez des amis?	– Non, je **n'**ai **aucun** <u>ami</u>. Je **n'en** ai **aucun**.
Vous avez des amies?	– Non, je **n'**ai **aucune** <u>amie</u>. Je **n'en** ai **aucune**.
• Vos amis sont venus?	– Non, **aucun n'**est venu.
Vos amies sont venues?	– Non, **aucune n'**est venue.

12. Discutez.

• Monsieur Muscle a une vie compliquée, car il doit tout faire pour rester beau.

• Imaginez sa vie en utilisant le plus de phrases possible à la forme négative.

Exemple : Moi, je pense qu'il ne mange jamais rien de sucré : pas de gâteau, pas de chocolat. C'est triste!

• Préparez vos idées.

....

....

....

....

....

....

....

....

....

....

• Discutez avec les autres apprenants.

13. Informez-vous.

• Lisez le texte.

Pourquoi ne pas devenir végétariens?

De nos jours, les végétariens sont de plus en plus nombreux. Les raisons de cette évolution sont multiples. Certains, des écologistes, trouvent que la production de viande nécessite trop d'eau, notamment pour le bœuf. En effet, 13 500 litres d'eau sont nécessaires pour produire 1 kilo de viande de bœuf. Il faut aussi beaucoup de céréales pour nourrir les animaux. Environ un tiers des céréales produites dans le monde sert à les nourrir. D'autres pensent que la viande peut avoir des effets négatifs sur la santé. Enfin, de plus en plus de gens sont sensibles à la maltraitance des animaux d'élevage. Ils pensent que leurs conditions de vie doivent changer, car consommer de la viande nous rend complices de ces mauvais traitements. Actuellement, nous consommons deux fois plus de viande qu'il y a deux générations. Il est donc logique de se poser la question : pouvons-nous continuer comme cela?

• Préparez des questions sur le texte pour vérifier votre compréhension.

....

....

....

• Posez vos questions et répondez aux questions des autres apprenants.

14. Discutez.

• Répondez aux questions pour préparer la discussion.

• Donnez votre opinion. Discutez avec les autres apprenants.

1. Selon vous, est-il nécessaire ou inutile pour notre santé de consommer de la viande?

....

2. Que pensez-vous de nos modes d'alimentation actuels : plats préparés, restauration rapide, etc.?

....

3. « Il faut manger pour vivre et non pas vivre pour manger. » Qu'en pensez-vous?

....

OUTILS

MÉTHODOLOGIE – Réagir dans le débat

Confirmer sa position ou approuver la position de son interlocuteur.

• **Il n'y pas de doute. Il n'y a aucun doute. Sans aucun doute. Bien sûr. Évidemment. Absolument. Tout à fait. Je suis pour.**

Exemple :   A : *Vous avez dit que la production de viande de bœuf doit changer?*
                B : *Il n'y a pas de doute. / Absolument.*

• **C'est évident / certain / sûr / clair / indiscutable / vrai / exact / tout à fait vrai.**

Exemple :   A : *Nous consommons beaucoup trop de viande.*
                B : *C'est tout à fait vrai.*

• **Il est évident / certain / sûr / clair / indiscutable / vrai que...** + verbe à l'indicatif

Exemple :   A : *Vous pensez donc que nous devons limiter notre consommation de viande?*
                B : *Il est certain que nous devrons le faire un jour ou l'autre.*

15. Préparez-vous à l'épreuve d'expression orale.

Par deux.

• Dégagez le thème de ce document.

....

• Relevez les idées du texte que vous utiliserez dans votre présentation.

• Cherchez des idées personnelles complémentaires.

• Organisez toutes les idées retenues.

• Donnez votre opinion personnelle sur ce sujet.

En groupe classe.

• Présentez le thème et les idées que vous avez préparées.

• Discutez avec les autres apprenants. Donnez votre avis sur le sujet. Utilisez les outils.

16. Discutez.

Les êtres humains doivent-ils protéger tous les animaux?

• Dans le monde actuel, il y a des animaux sauvages, des animaux d'élevage, mais aussi des animaux domestiques que nous considérons parfois comme des membres de la famille.

1. Quelle place les animaux ont-ils dans notre vie? Avons-nous besoin d'eux?

2. Sommes-nous responsables de leur vie ou de leur survie?

• Discutez avec les autres apprenants. Exprimez votre opinion. Écoutez celle des autres.

• Essayez de convaincre ceux qui ne sont pas de votre avis.

CLARIFIER L'INFORMATION

1. Imiter

OUTILS GRAMMATICAUX : L'expression de la conséquence.
OUTILS COMMUNICATIFS : S'assurer de la compréhension de son interlocuteur.
MÉTHODOLOGIE : Réagir dans le débat : s'opposer aux positions énoncées par son interlocuteur.

// **ESPACE DIGITAL** 52
competences.cle-international.com

1. Écoutez et répondez.

Qu'y a-t-il de commun dans tous ces dialogues?

• Notez les expressions utilisées pour exprimer ce point commun.

....

....

....

// **ESPACE DIGITAL** 53
competences.cle-international.com

2. Répétez.

• Attention à l'intonation!

3. En groupe, imaginez la situation.

• Pour chaque minidialogue, imaginez la situation.

....

....

....

• Discutez avec les autres apprenants pour vous mettre d'accord.

4. Par deux, jouez la scène.

• Jouez la scène avec votre partenaire. Ajoutez des éléments complémentaires.
• N'oubliez pas d'utiliser les outils.

S'assurer de la compréhension de son interlocuteur

OUTILS

• **Tu vois? / Vous voyez? – Tu comprends? / Vous comprenez? – Tu saisis? / Vous saisissez? – Tu me suis? / Vous me suivez?**
Exemple : Quand vous arrivez devant le cinéma, vous prenez la petite rue juste en face et vous tournez tout de suite à gauche. Vous me suivez?
• **C'est clair? / C'est bon? / D'accord?**
Exemple : Tu le fais cuire au four trente minutes et tu le laisses encore vingt minutes dans le four éteint. C'est bon?

5. Faites passer la parole.

• Comme dans les exemples, imaginez une situation en deux répliques.

Exemples : A : Après, tu ajoutes le lait et tu mélanges très doucement. Tu comprends?
B : Oui, c'est bon. Je mets d'abord les œufs et le sucre, puis j'ajoute le lait.

A : Quand tu as fini d'installer le programme, tu cliques sur « redémarrer ». C'est clair?
B : Oui, ça va, j'ai compris.

6. Informez-vous et discutez.

1. Pourquoi Juliette a-t-elle l'air bizarre?

2. Qu'est-ce qui s'est passé?

3. Relevez les mots qui introduisent une conséquence.

• Prenez des notes.

....

....

....

....

....

....

....

• Discutez avec les autres apprenants pour vérifier ou compléter vos informations.

7. Par deux, jouez la scène.

Maxime : Voyons, Juliette, qu'est-ce qui t'arrive? Tu as l'air bizarre.

Juliette : Je viens d'avoir un accident.

OUTILS

La conséquence

Pour introduire une conséquence, on peut utiliser en début de phrase :
• **donc – alors – c'est pourquoi** (voir page 64)
• ***ça fait que – résultat :** (plus utilisés à l'oral)
Elle n'a pas d'argent, donc / alors / c'est pourquoi / *ça fait qu' / résultat : il paie pour elle.
Donc peut se placer après le verbe : Elle n'a pas d'argent; il <u>paie</u> **donc** pour elle.

8. Par deux, échangez des informations.

• Choisissez chacun une fiche et complétez la phrase proposée avec toutes les conséquences que vous pouvez imaginer.

• Racontez à votre partenaire ce qui vous est arrivé.

• Posez-lui des questions sur son histoire et répondez à ses questions sur votre histoire.

• Faites l'exercice comme une conversation entre amis.

FICHE A	FICHE B
La semaine dernière, dans le bus, j'ai perdu mon cellulaire	Moi, lundi dernier, j'ai raté le dernier bus pour rentrer chez moi ....

9. Par deux, jouez la scène.

• Après un mois de séparation, deux ami(e)s se retrouvent pour se raconter leurs vacances. Malheureusement, les vacances ne se sont pas passées comme prévu.

• L'un(e) d'entre eux (elles), qui faisait du camping en forêt, a été victime d'un incendie.

• L'autre, qui devait faire un voyage à vélo, a été arrêté(e) par une inondation.

• Choisissez un rôle. Imaginez les problèmes que vous avez eus au cours de ces vacances.

• Jouez la scène avec votre partenaire.

10. Informez-vous et discutez.

• Écoutez le dialogue et répondez aux questions.

1. Qui sont les deux personnes qui parlent?

2. Qu'est-ce que l'homme veut savoir?

3. Qu'est-ce que la femme aime?

• Prenez des notes.

....

....

....

• Discutez avec les autres apprenants pour vérifier ou compléter vos informations.

11. Par deux, jouez la scène.

• Imaginez la suite du dialogue entre les deux personnes.

• Jouez la scène avec votre partenaire.

• Utilisez les outils ci-dessous.

Un journaliste: Madame Buchanan, vous habitez au Québec depuis cinq ans je crois. Est-ce que vous connaissez bien la province?

Une immigrante: Oui et non. Il y a tellement de choses à visiter au Québec que...

OUTILS

La conséquence liée à une idée d'intensité ou de quantité

• L'intensité porte sur un adjectif.

*Il faisait <u>très chaud</u>. Il faisait **tellement (si)** chaud **que** l'incendie a pris rapidement.* (**tellement = si**)

• L'intensité porte sur un verbe.

*Il <u>pleuvait beaucoup</u>. Il pleuvait **tellement (tant) qu'**on ne pouvait pas sortir.* (**tellement = tant**)

• La quantité porte sur un nom.

*Tu as <u>beaucoup de</u> problèmes. Tu as **tellement (tant) de** problèmes **que** je ne peux pas t'aider.* (**tellement de = tant de**)

12. Donnez la réplique.

• Un(e) apprenant(e) lit la première phrase.

• Son ou sa partenaire lui donne la réplique en modifiant cette phrase pour y ajouter une conséquence.

Exemple: *A: Il fait trop chaud aujourd'hui.*

       B: Oui, il fait tellement/si chaud que je suis fatigué(e).

Premières phrases:

Tes amis ont beaucoup d'argent. – Tu travailles trop. – Le professeur nous donne trop de travail. – Ton petit frère est très sympathique. – Il pleut beaucoup depuis quelques semaines. – Ce livre est très intéressant.

• Imaginez d'autres phrases pour continuer l'exercice.

....

....

....

....

....

....

....

13. Informez-vous.

• Lisez le texte.

> **Le tourisme, un bien pour un mal?**
>
> Grâce à l'arrivée des congés payés dans les pays industrialisés, le tourisme de masse a commencé à se développer au cours du 20ᵉ siècle. Les touristes sont curieux de tout : les paysages, les villes, la culture... Aujourd'hui mondialisée, cette activité occupe une place importante dans l'économie de certains pays où elle crée de nombreux emplois, mais elle ne satisfait pas tout le monde. À Venise, les habitants se mobilisent contre le passage des bateaux de croisière, car ils fragilisent les bâtiments de la ville. À Barcelone, une partie de la population se plaint des inconvénients causés par la présence des trop nombreux touristes : loyers très chers, disparition des petits commerces alors que les bars et les restaurants se multiplient par exemple. Les griefs contre le tourisme ne manquent pas. Le tourisme, qui fait vivre, pourrait-il aussi faire « mourir »?

• Préparez des questions sur le texte pour vérifier votre compréhension.

....

....

....

• Posez vos questions et répondez aux questions des autres apprenants.

14. Discutez.

• Répondez aux questions pour préparer la discussion.

• Donnez votre opinion. Discutez avec les autres apprenants.

1. Qu'est-ce qui, selon vous, attire les touristes dans les pays étrangers?

....

2. Le tourisme, dans certains cas, doit-il être règlementé? Si oui, comment?

....

3. Aimeriez-vous habiter dans un lieu touristique? Pourquoi?

....

OUTILS

MÉTHODOLOGIE – Réagir dans le débat

S'opposer aux positions énoncées par son interlocuteur.

• **En aucun cas. Pas du tout. Absolument pas.**

Exemple :   A : *Il faudrait alors limiter le nombre de touristes dans les villes les plus visitées.*
              B : *En aucun cas.*

• **C'est impossible. Ce n'est pas sérieux.**

Exemple :   A : *Le tourisme devrait peut-être être interdit dans certaines régions.*
              B : *C'est impossible.*

• **Je ne suis pas de cet avis. Je suis contre.**

Exemple :   A : *Il est normal que chacun puisse aller où il veut, quand il veut.*
              B : *Je ne suis pas de cet avis.*

15. Préparez-vous à l'épreuve d'expression orale.

Par deux.

• Dégagez le thème de ce document.

....

• Relevez les idées du texte que vous utiliserez dans votre présentation.

• Cherchez des idées personnelles complémentaires.

• Organisez toutes les idées retenues.

• Donnez votre opinion personnelle sur ce sujet.

En groupe classe.

• Présentez le thème et les idées que vous avez préparées.

• Discutez avec les autres apprenants. Donnez votre avis sur le sujet. Utilisez les outils.

16. Discutez.

Les vacances sont-elles vraiment nécessaires? Pourquoi?

1. Pour vous, que représente cette photo?

2. Les Québécois et Québécoises ont droit à des congés annuels payés depuis 1946. Ces congés sont déterminés en fonction de l'ancienneté de l'employé. Ils sont d'une semaine pour l'employé qui travaille dans une entreprise depuis un an, et de trois semaines pour celui qui y travaille depuis cinq ans ou plus. Tous les pays ont-ils le même système?

3. Avons-nous réellement besoin de vacances? Pourquoi?

• Discutez avec les autres apprenants. Exprimez votre opinion. Écoutez celle des autres.

• Essayez de convaincre ceux qui ne sont pas de votre avis.

OUTILS GRAMMATICAUX : L'expression du but.
OUTILS COMMUNICATIFS : S'informer sur quelque chose. Donner des indications sur l'usage de quelque chose.
MÉTHODOLOGIE : Réagir dans le débat : contester la position de son interlocuteur ou la nuancer.

/// **ESPACE DIGITAL** 🎧 **56**
competences.cle-international.com

1. Écoutez et répondez.

Qu'y a-t-il de commun dans tous ces dialogues?

• Notez les expressions utilisées pour exprimer ce point commun.

....

....

/// **ESPACE DIGITAL** 🎧 **57**
competences.cle-international.com

2. Répétez.

• Attention à l'intonation!

3. En groupe, imaginez la situation.

• Pour chaque minidialogue, imaginez la situation.

....

....

....

....

• Discutez avec les autres apprenants pour vous mettre d'accord.

4. Par deux, jouez la scène.

• Jouez la scène avec votre partenaire. Ajoutez des éléments complémentaires.

• N'oubliez pas d'utiliser les outils.

OUTILS

S'informer sur quelque chose

• Sur la nature de quelque chose : **Qu'est-ce que c'est?**
• Sur sa fonction : **À quoi ça sert? / Qu'est-ce qu'on peut faire avec?**
• Sur son utilisation : **Comment ça (il/elle) marche? / Comment ça (il/elle) fonctionne? / Comment ça (il/elle) s'utilise? / Comment on s'en sert? / Vous avez le mode d'emploi?**

5. Faites passer la parole.

• Comme dans les exemples, imaginez une situation en trois répliques.

Exemples :   *A : Oh! Qu'est-ce que c'est?*

        B : C'est mon nouveau téléphone intelligent.

        A : Tu m'expliques comment il fonctionne?

        B : À quoi ça sert, ce *truc?

        C : Ça sert à nettoyer les vitres.

        B : Ah bon! Et comment ça marche?

6. Informez-vous et discutez.

1. Qui sont les personnes qui parlent?

2. De quoi parlent-elles?

3. Comment fonctionne cet objet?

• Prenez des notes.

....
....
....
....
....
....

• Discutez avec les autres apprenants pour vérifier ou compléter vos informations.

7. Par deux, jouez la scène.

Un jeune garçon : Grand-papa, qu'est-ce que c'est la chose bizarre dans l'entrée?

Le grand-père : C'est un...

OUTILS

Donner des indications sur l'usage de quelque chose

• **Ça (il/elle) sert à / On s'en sert pour / On l'utilise pour** + verbe à l'infinitif.

Exemple :   *A : Regarde ça grand-papa, ça sert à recharger ton téléphone sans le brancher.*

          B : Ah bon? C'est très bien. On peut aussi l'utiliser pour ma tablette?

• **Ça marche (fonctionne/s'utilise) comme ça. On s'en sert comme ça.** (La personne montre le fonctionnement.)

Exemple : Regarde bien, tu vois, ça fonctionne comme ça.

8. Par deux, échangez des informations.

• Choisissez chacun une fiche et imaginez à quoi servent les deux objets représentés.

• Posez des questions à votre partenaire sur ses objets insolites et répondez à ses questions.

• Si vous n'êtes pas d'accord avec ses explications, vous pouvez lui en proposer d'autres.

• Faites l'exercice sous forme de conversation.

MA FICHE	MA FICHE

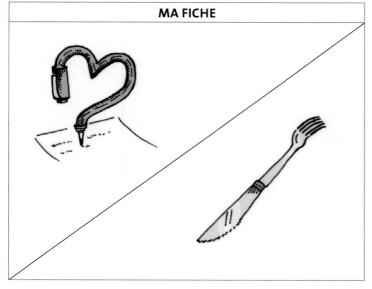

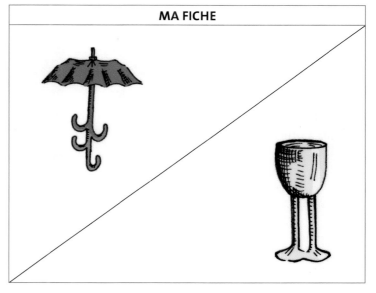

ESPACE DIGITAL 59
competences.cle-international.com

9. Informez-vous et discutez.

• Écoutez le dialogue et répondez aux questions.

1. Quelle est la relation entre les deux personnes qui parlent?

2. Pourquoi la jeune fille n'est-elle pas très contente?

3. Qu'est-ce que le garçon lui propose? Pourquoi?

• Prenez des notes.

....

....

....

• Discutez avec les autres apprenants pour vérifier ou compléter vos informations.

10. Par deux, jouez la scène.

• Imaginez la suite du dialogue entre les deux personnes.

• Jouez la scène avec votre partenaire.

• Utilisez les outils ci-dessous.

Noémie : Philippe, ce *bidule-là, je peux le jeter?

Philippe : Mais non! C'est à Pierre-Luc. Il s'en sert pour...

OUTILS

L'expression du but
• **Pour** + infinitif : *Il travaille pour gagner sa vie.* (les deux verbes ont le même sujet)
• **Pour que** + subjonctif : *Il travaille pour que ses enfants soient heureux.* (les deux verbes ont deux sujets différents)
• **Histoire de** + infinitif : *On a invité des copains, histoire de s'amuser.* (les deux verbes ont le même sujet; le but est montré comme peu important).

11. Discutez.

Observez cette photo et répondez aux questions.

1. Imaginez : qui a peint ces figures? Quand?

2. Dans quel but ont-ils fait cela?

• Faites des propositions et discutez avec les autres apprenants.

• Pensez à utiliser les outils.

12. Par deux, jouez la scène.

1. Ils trient leurs affaires, mais ils ne sont pas d'accord. Que faut-il garder? Que faut-il jeter?

2. À quoi servent toutes ces choses? Dans quel but les gardent-ils?

• Imaginez leur conversation.

• Choisissez un rôle.

• Jouez la scène avec votre partenaire.

13. Informez-vous.

• Lisez le texte.

> ### Êtes-vous plutôt « neuf » ou « d'occasion »?
>
> Si certains n'achètent que du neuf, beaucoup s'intéressent aux produits d'occasion. D'une part, les circuits de vente traditionnels, comme les marchés aux puces, les ventes de garage et les friperies, se multiplient. D'autre part, Internet offre aujourd'hui de nombreuses possibilités, et sans limites géographiques. Mais pourquoi acheter d'occasion un produit que l'on pourrait acheter neuf? Pour faire des économies évidemment, mais pas seulement. Les adeptes de ce mode d'achat sont souvent révoltés par la société de consommation, qui jette à la poubelle des produits encore utilisables. Consommer de manière responsable, produire moins de déchets : voilà d'autres motivations pour acheter d'occasion. Mais il y a aussi parfois des raisons sociales. Prenez par exemple la chaine de magasins Renaissance, concentrée à Montréal. Il s'agit d'un OSBL (organisme sans but lucratif) qui revend des meubles, des vêtements et des accessoires. Sa mission principale : réintégrer par la formation des personnes défavorisées sur le marché du travail.

• Préparez des questions sur le texte pour vérifier votre compréhension.

....

....

....

• Posez vos questions et répondez aux questions des autres apprenants.

14. Discutez.

• Répondez aux questions pour préparer la discussion.

• Donnez votre opinion. Discutez avec les autres apprenants.

1. Le marché des produits d'occasion pourrait-il être dangereux pour l'industrie?

....

2. Y a-t-il plus de plaisir à acheter un produit neuf qu'un produit d'occasion? Pourquoi?

....

3. Achetez-vous des produits d'occasion sur Internet? Pourquoi?

....

OUTILS

MÉTHODOLOGIE – Réagir dans le débat

Contester la position de l'interlocuteur ou la nuancer.

• **Je ne suis pas (tout à fait) d'accord; je pense que**…

Exemple : A : *Les voitures d'occasion tombent très vite en panne.*

B : *Je ne suis pas d'accord; je pense que si elles sont inspectées, tout va bien.*

• **Je comprends, mais…**

Exemple : A : *Les vêtements d'occasion, ce n'est pas très hygiénique.*

B : *Je comprends, mais généralement, ils sont lavés avant d'être vendus.*

• **Vous avez (sans doute / surement / peut-être) raison, mais…**

Exemple : A : *Un livre d'occasion est aussi agréable à lire qu'un livre neuf.*

B : *Vous avez sans doute raison, mais j'aime l'odeur du papier neuf.*

15. Préparez-vous à l'épreuve d'expression orale.

Par deux.

• Dégagez le thème de ce document.

....

• Relevez les idées du texte que vous utiliserez dans votre présentation.

• Cherchez des idées personnelles complémentaires.

• Organisez toutes les idées retenues.

• Donnez votre opinion personnelle sur ce sujet.

En groupe classe.

• Présentez le thème et les idées que vous avez préparées.

• Discutez avec les autres apprenants. Donnez votre avis sur le sujet. Utilisez les outils.

16. Discutez.

Les objets qui nous entourent nous aident-ils à être heureux?

1. Pour vous, que symbolise cette photo?

2. Quelle place les objets occupent-ils dans notre vie?

3. Les objets peuvent être utiles, décoratifs, amusants, mais sont-ils importants pour notre bonheur? Pourquoi?

• Discutez avec les autres apprenants. Exprimez votre opinion. Écoutez celle des autres.

• Essayez de convaincre ceux qui ne sont pas de votre avis.

Bilan

//

1. Complétez le dialogue. 13 points

Attention, vous devez utiliser les outils proposés dans cette unité. Vous ne devez pas utiliser deux fois la même construction, ni reprendre les formes déjà contenues dans le dialogue.

A : Élise, tu sais s'il y a encore quelqu'un au fond du magasin?

B : Non, (1) ....

A : Très bien. Tu peux donc venir m'aider.

B : Bien sûr. (2) ....

A : Non. Il n'y a plus rien à nettoyer. Tu peux ouvrir cette boite et mettre les articles sur les étagères.

B : D'accord. (3) .... ?

A : Je pense que ce sont des tirebouchons.

B : (4) ....

A : Je ne sais pas du tout. Tu as déjà vu ce modèle quelque part?

B : (5) ....

A : Moi non plus. Et ça? C'est nouveau aussi?

B : Oui. (6) .... ?

A : Je ne sais pas du tout! Peut-être à éplucher les légumes, ou... Je ne sais pas. Il y a beaucoup trop de nouveautés!

B : Oui, (7) ....

A : Moi non plus, je n'y comprends plus rien. Et il n'y a même pas un mode d'emploi, j'imagine, pour cette merveille?

B : Non, (8) ....

A : Ça ne m'étonne pas. Ah! Regarde ça! C'est un ouvre-boite électrique.

B : (9) .... ?

A : C'est très facile. Tu places la boite ici, tu appuies sur le bouton jaune et c'est tout. C'est très pratique.

B : (10) ....

A : Ne l'achète pas. Je te l'offrirai pour Noël! Il y a encore quelque chose dans cette boite?

B : Non, (11) ....

A : Tant mieux! Est-ce que quelqu'un a déjà acheté la nouvelle cafetière?

B : Non, (12) ....

A : Ça ne m'étonne pas. D'après moi, elle est trop chère. Et si on faisait une pause? Nous travaillons trop, non?

B : Oui! (13) ....

A : Moi non plus, je ne tiens plus debout! Une petite pause nous fera du bien!

2. Complétez le texte avec les formes suivantes. 12 points

Chaque forme ne peut être utilisée qu'une fois.

> Donc (alors/c'est pourquoi) – pour – pour que – Il n'y pas de doute [Il n'y a aucun doute /Sans aucun doute / Bien sûr / Évidemment / Absolument / Tout à fait / C'est évident (certain / sûr / clair / indiscutable / vrai / exact / tout à fait vrai)] – Il est évident (certain / sûr / clair / indiscutable / vrai) que...– Je suis (tout à fait) d'accord. – En aucun cas (Pas du tout. Absolument pas) – C'est impossible (Ce n'est pas sérieux/Je ne suis pas de cet avis) – Je ne suis pas (tout à fait) d'accord. – Je comprends (Je reconnais que)... mais... – Vous avez (sans doute / surement / peut-être) raison, mais...

Les vacances sont-elles nécessairement un temps pour le repos?

(1) .... Personne aujourd'hui ne peut imaginer une vie de travail sans pauses. Le repos est nécessaire, (2) .... avec cette idée. Cependant, si vous me demandez si le repos est la seule fonction des vacances, je vous répondrai : « (3) .... ». Elles ont, selon moi, beaucoup d'autres mérites. (4) .... que la plupart des gens utilisent leur temps de vacances (5) .... faire autre chose : conforter leurs relations familiales ou amicales, ou découvrir de nouveaux horizons par exemple. (6) .... que le repos est essentiel, (7) .... sortir de notre univers quotidien est tout aussi important pour notre bienêtre. Voir d'autres lieux, pratiquer d'autres activités, rencontrer d'autres gens : tout cela nous permet de mieux comprendre le monde qui nous entoure. (8) .... il me semble que réduire les vacances à un simple temps de repos, (9) .... (10) .... quand vous dites que nous sommes chanceux d'avoir des congés payés au Québec, (11) .... c'est indispensable (12) .... chacun puisse profiter de la vie.

DES ENREGISTREMENTS

CORRIGÉS

UNITÉ 1

LEÇON 1

PAGE 8 //////////////////////////////**PISTES 2 ET 3**

Un homme :	Bon, tu viens ou tu ne viens pas?
Une femme :	Bof! Je ne sais pas trop... J'hésite...
Un homme :	Dépêche-toi, ça va commencer!

Deux femmes.

A :	Tu le prends, oui ou non?
B :	Je n'arrive pas à me décider... je vais réfléchir...
A :	Prends-le, il te va bien!

Deux femmes.

A :	Tu sais ce que tu vas lui offrir?
B :	Je n'en sais rien... Je ne sais pas quoi choisir.
A :	Je te comprends, ce n'est pas facile.

Une femme :	Bon, tu te décides?
Un homme :	Eh bien... c'est-à-dire que..., je vais voir...
Une femme :	Si on n'y va pas en fin de semaine, on peut y aller la fin de semaine prochaine?

PAGE 9 //////////////////////////////**PISTE 4**

Mathieu :	Laura! Tu as envie d'aller au cinéma ce soir?
Laura :	Bof! Je ne suis pas sure.
Mathieu :	Pourquoi?
Laura :	Je ne sais pas... Je me demande si c'est une bonne idée. On est samedi, non?
Mathieu :	Oui, et alors?
Laura :	Alors il va y avoir un monde fou.
Mathieu :	Bon, tu veux y aller ou pas?
Laura :	Non, je ne crois pas. Je n'aime pas faire la queue.
Mathieu :	Si tu veux, on peut aller à la patinoire ou à la piscine. Qu'est-ce qui te plairait le plus? Choisis.

Laura :	Je n'en sais rien. À la piscine, il faut se déshabiller... se rhabiller... et à la patinoire... il fait froid.
Mathieu :	Bon alors, tu te décides? C'est oui ou c'est non?
Laura :	Et toi, qu'est-ce que tu en penses?
Mathieu :	C'est comme tu veux.
Laura :	Bon *ben... non, c'est non.
Mathieu :	Très bien. Tu ne veux pas aller au cinéma. Tu ne veux pas aller à la piscine, tu ne veux pas aller à la patinoire. Donc, on va souper chez mes parents.
Laura :	Oh non!
Mathieu :	Oh oui!

PAGE 10 ////////////////////////////// **PISTE 5**

Une femme :	Alors, mon cœur, qu'est-ce que tu veux pour ta fête?
Un homme :	Ma fête? Ah oui, c'est vrai, 35 ans! Je deviens vieux!
Une femme :	Mais non, mon chéri, tu es encore assez jeune pour moi! Alors, qu'est-ce qui te ferait plaisir?
Un homme :	Je ne sais pas... je vais réfléchir.
Une femme :	Réfléchir? Mais tu n'as plus le temps! C'est demain ta fête. Tu ne voudrais pas un beau livre, ou bien... je ne sais pas moi, une jolie montre?
Un homme :	*Ben... un livre, je me demande si c'est une bonne idée? Une nouvelle montre peut-être? Ou alors, un...

LEÇON 2

PAGE 14 ////////////////////////////// **PISTES 6 ET 7**

Deux femmes.

A :	C'est fou, il m'a invitée!
B :	Ah bon! Et qu'est-ce que tu comptes faire?
A :	Je pense y aller...

Un homme :	Elle te plait?
Une femme :	Oui, et toi?
Un homme :	Beaucoup, j'ai l'intention de l'acheter.
Une femme :	Non!?

Deux femmes

A :	Tu en as parlé à Jérôme?
B :	Non, j'ai prévu de lui dire demain.
A :	Qu'est-ce qu'il va faire?
B :	Je n'en ai aucune idée.

Un homme :	Tu crois que je dois lui répondre?
Une femme :	Mais oui, bien sûr!
Un homme :	Peut-être que je lui écrirai demain.
Une femme :	Bonne idée!

Page 15 ///////////////////////////// Piste 8

Une femme :	Ah enfin, la semaine est finie! Je suis fatiguée. J'ai l'intention de faire la grasse matinée demain.
Un homme :	Et après, qu'est-ce que tu comptes faire?
Une femme :	J'ai prévu de magasiner avec mon amie Lili, mais je ne suis pas sure d'avoir assez de courage. Et toi, qu'est-ce que tu penses faire?
Un homme :	Peut-être que j'irai au cinéma. Il y a un nouveau film avec Anne Dorval, tu la connais?
Une femme :	Bien sûr, elle est géniale!
Un homme :	Tu ne veux pas venir avec moi?
Une femme :	Je ne sais pas. Je vais réfléchir.
Un homme :	Allez, viens!
Une femme :	Oh maintenant, je ne sais plus quoi faire! Et qu'est-ce que je vais dire à Lili?
Un homme :	Alors, tu es décidée? Tu viens avec moi?

LEÇON 3

Page 20 ///////////////////////////// Pistes 9 et 10

Un homme :	Oh, comme il est mignon!
Une femme :	Oui! Regarde ses petites mains!

Un homme :	Quel courage, il est vraiment extraordinaire!
Une femme :	Oui, avec ce froid-là, je ne sais pas comment il a fait.

Un homme :	Qu'est-ce qu'elle est belle!
Une femme :	Elle te plait? Moi, je la trouve trop grande.

Une femme :	Ah, qu'il est gentil! Il a pensé à tout le monde!
Un homme :	C'est vrai, il n'oublie jamais personne!

Page 21 ///////////////////////////// Piste 11

Un homme :	Isabelle, quelle robe vas-tu mettre ce soir?
Isabelle :	Je ne sais pas... Laquelle tu préfères?
Un homme :	La bleue peut-être. Essaie-la. *(pause)* *Wow! Qu'est-ce qu'elle te va bien! Si tu la mets, tu seras la plus belle de la soirée!
Isabelle :	Arrête de dire des *niaiseries! Et quels souliers je vais mettre avec?
Un homme :	Des talons hauts, bien sûr!
Isabelle :	Lesquels, les noirs ou les gris?
Un homme :	Je ne sais pas... Si tu mets les noirs, tu n'auras pas mal aux pieds?
Isabelle :	Non, je ne crois pas. Ils sont assez confortables.
Un homme :	Alors mets les noirs. Je les trouve très élégants.
Isabelle :	D'accord. Et toi, qu'est-ce que tu mets?
Un homme :	*Ben... des jeans et une chemise blanche, bien sûr.
Isabelle :	Ça, c'est original! Tu as des tonnes de vêtements et tu mets toujours la même chose! Et ne me dis pas que tu vas mettre tes espadrilles?
Un homme :	*Ben... quelles chaussures veux-tu bien que je mette? Les noires, elles me font mal aux pieds...
Isabelle :	Mets les brunes, elles sont très jolies et tu ne les mets jamais.
Un homme :	Puisque tu me le demandes gentiment, je vais les mettre. C'est bien pour te faire plaisir!

Page 22 ///////////////////////////// Piste 12

Sarah :	Allo, Laurent?
Laurent :	Oui, salut Sarah.
Sarah :	Salut! Qu'est-ce qu'on fait finalement cet après-midi? On va visiter un musée?
Laurent :	Ça m'est égal. Choisis, toi.
Sarah :	Mais toi, qu'est-ce que tu veux faire?
Laurent :	N'importe quoi, je te dis, je m'en *fous.

	J'ai envie de sortir, c'est tout.
Sarah :	Bon, on peut aller au Musée de la civilisation ou au nouveau pavillon du Musée des beaux-arts du Québec. Tu sais, c'est l'agrandissement qui a été fait récemment.
Laurent :	Oui, j'en ai entendu parler.
Sarah :	Lequel tu préfères?
Laurent :	N'importe lequel. Vraiment, pour moi, peu importe lequel.
Sarah :	Je vois que tu n'as pas beaucoup d'idées aujourd'hui. Et... est-ce que tu as envie de sortir avec n'importe qui aussi?
Laurent :	Mais non, pas du tout!

UNITÉ 2

LEÇON 1

PAGE 28 ///////////////////////////// **PISTES 13 ET 14**

Deux femmes.

A :	Et quand l'inspecteur est arrivé, je lui ai dit que j'avais perdu mon billet.
B :	Et alors?
A :	Alors, il ne m'a pas crue.

———————

Deux hommes.

A :	Elle s'est assise à une table en face de moi, elle m'a regardé, elle m'a souri...
B :	Elle t'a souri?
A :	Oui... mais Arnaud est arrivé.

———————

Un homme :	Une jeune femme m'a fait entrer dans le bureau, quelqu'un m'a donné le chèque de 500 000 dollars, j'ai remercié tout le monde...
Une femme :	Et après?
Un homme :	Après, je me suis réveillé.

———————

Deux femmes.

A :	J'ai essayé la robe, elle m'allait bien.
B :	Et qu'est-ce que tu as fait?
A :	Je l'ai achetée, bien sûr!

PAGE 29 ///////////////////////////// **PISTE 15**

Un homme :	Tu connais Sonia?
Une femme :	Oui, pourquoi?
Un homme :	Elle a eu un accident.
Une femme :	Oh non!
Un homme :	Eh oui! Hier, elle est allée chez le dentiste et elle est tombée dans l'escalier.
Une femme :	Et alors?
Un homme :	Alors, c'est une chute majeure. Elle s'est cassé la jambe droite, et elle s'est blessée au visage.
Une femme :	Vraiment?
Un homme :	Malheureusement oui. Elle est à l'hôpital depuis hier soir. Elle sortira dans deux jours.
Une femme :	Dans deux jours?
Un homme :	Oui, on doit lui faire des radios, elle a mal partout.
Une femme :	Mais elle ne s'est pas déjà cassé un bras l'année passée?
Un homme :	Oui, il y a huit mois exactement. Elle n'a vraiment pas de chance en ce moment. Tu veux aller la voir?
Une femme :	Oui, bien sûr. J'irai dans une heure quand ma fille partira à son cours de danse.
Un homme :	Son cours de danse?
Une femme :	Oui, elle fait de la danse depuis trois mois.

PAGE 31 ///////////////////////////// **PISTE 16**

La mère :	Mais voyons, Jean-Philippe, qu'est-ce qui s'est passé avec mon auto?
Le fils :	Oh maman, c'est rien, juste un petit coup devant.
La mère :	Tu appelles ça « un petit coup »? Comment tu as fait ça?
Le fils :	J'étais avec Emma et Justine, on revenait du restaurant, on chantait, on *niaisait...
La mère :	Et après...
Le fils :	Pendant qu'on prenait un *selfie, la voiture qui était devant nous s'est arrêtée brusquement au feu rouge, et moi je n'ai pas eu le temps de freiner et voilà...
La mère :	Non mais vraiment! Tu prenais des *selfies pendant que tu conduisais? Tu n'auras plus ma voiture, c'est terminé!
Le fils :	Oh non, maman, s'il te plait...
La mère :	Ma belle voiture, elle était toute neuve, elle était magnifique...

Deux hommes.

A :	Hé, tu n'as pas une pièce d'un dollar à me prêter ?
B :	Oui, pourquoi ?
A :	J'en ai besoin.

———————

Une femme :	Tiens ! J'ai oublié de te dire que j'ai rencontré Marianne.
Un homme :	Ah bon ? Elle t'a parlé de moi ?
Une femme :	Un peu... oui.

———————

Une femme :	Écoute, je ne veux plus te voir.
Un homme :	Mais pourquoi ? Qu'est-ce que je t'ai fait ?
Une femme :	Tu le sais très bien.

———————

Une femme :	Tu sais, je vais surement partir en Californie.
Un homme :	Ah, c'est bien ! Tu pars quand ?
Une femme :	*Ben... tu n'es pas triste ?

Une femme :	Écoute, mes amis du Saguenay viennent me voir en fin de semaine. Tu connais un endroit sympathique où je peux aller avec eux ?
Un homme :	Oui, bien sûr. Pourquoi tu ne les emmènes pas à l'île d'Orléans ?
Une femme :	Ah oui, c'est l'île dont tu m'as déjà parlé ?
Un homme :	C'est ça.
Une femme :	Tu sais, je n'habite pas ici depuis longtemps. Je ne connais pas très bien la région.
Un homme :	Alors, c'est une bonne occasion d'y aller. C'est un endroit charmant où il y a six jolis petits villages. Il y a aussi des fermes qui produisent du cidre et des fraises, et l'île est entourée par le fleuve Saint-Laurent, on peut en faire le tour en bateau.
Une femme :	On est à la fin octobre !
Un homme :	Pas maintenant, bien sûr, mais en été, c'est très agréable.
Une femme :	Et maintenant, qu'est-ce qu'on peut y faire ?
Un homme :	On peut se promener dans les sentiers pédestres, mais il y a aussi beaucoup de petits commerces qui intéressent les touristes. C'est très plaisant.

Sandra :	Tiens, tu as un nouveau bracelet, Geneviève ?
Geneviève :	Pas du tout, c'est celui que ma mère m'a donné quand j'avais quinze ans. Il est joli, non ?
Sandra :	Magnifique, j'aime beaucoup la pierre qui est dessus.
Geneviève :	Oui, moi aussi. Et puis, Sandra, c'est aussi un souvenir. Quand je le porte, je pense à ma mère, et ça me fait plaisir.
Sandra :	Oui, je comprends. Moi, j'ai une vieille boite à bijoux à la maison où je garde tous mes petits souvenirs. Elle n'est pas très jolie, mais c'est celle que je préfère. C'est ma grand-mère qui me l'a donnée. Quand je la regarde, je suis heureuse et triste en même temps.
Geneviève :	Moi, j'ai aussi...

Une femme :	Vous savez à quelle heure arrive le train pour Québec, s'il vous plait ?
Un homme :	Ah non, madame, il faut regarder sur les panneaux d'affichage. Vous avez tous les horaires d'arrivée et de départ pour la journée.
Une femme :	Et ils sont où ?

———————

Un homme :	Je voudrais savoir où est le bureau de monsieur Bégin, s'il vous plait.
Une femme :	C'est pourquoi ?
Un homme :	J'avais rendez-vous avec lui à 10 heures et j'attends depuis trente minutes.

———————

Un homme :	Pourriez-vous me dire si les bureaux seront ouverts mardi prochain, s'il vous plait ?
Une femme :	Ah non, monsieur, c'est un jour férié.
Un homme :	Et la veille ?

———————

Un homme :	Bonjour madame. Je peux vous demander de me passer le service des commandes, s'il vous plait?
Une femme :	Oui monsieur, c'est pourquoi?
Un homme :	Eh bien, je vous ai acheté un article par téléphone il y a deux semaines et je n'ai encore rien reçu.

PAGE 41 ////////////////////////////// **PISTE 23**

M. Bouillon :	Bonjour, madame Maté. Mais... qu'est-ce que vous faites ici?
Mme Maté :	Ah, monsieur Bouillon! Qu'est-ce que vous dites?
M. Bouillon :	Je vous demande ce que vous faites ici.
Mme Maté :	Des commissions, monsieur Bouillon, tout simplement. Et comment ça va?
M. Bouillon :	Bien, et vous?
Mme Maté :	Pardon?
M. Bouillon :	Je vous demande comment vous allez.
Mme Maté :	Très bien, merci; mais mon mari a la grippe.
M. Bouillon :	Votre mari fume la pipe?
Mme Maté :	Mais non, je vous dis que mon mari a la grippe.
M. Bouillon :	La grippe? Mais vous êtes surement contagieuse, madame Maté!
Mme Maté :	Moi? Amoureuse? Mais qu'est-ce que vous dites là, monsieur Bouillon!
M. Bouillon :	Mais non, pas amoureuse! Je dis que vous, vous devez être contagieuse!
Mme Maté :	Contagieuse? Ça, c'est possible! Vous avez peur?
Mr Bouillon :	Oui, il est 11 heures 30.
Mme Maté :	Mais non, monsieur Bouillon, je ne vous demande pas l'heure! Je vous demande si vous avez peur... de la grippe.
Mr Bouillon :	De la grippe, non, mais j'ai peur de devenir sourd.
Mme Maté :	Ça c'est bizarre, moi aussi.

PAGE 43 ////////////////////////////// **PISTE 24**

Lucas :	Salut, Daniel. Alors, ta rencontre avec le directeur, comment ça s'est passé?
Daniel :	Très bien. Il m'a demandé si je voulais aller travailler dans l'agence de Granby.
Lucas :	Et qu'est-ce que tu as répondu?

Daniel :	J'ai dit que j'étais d'accord et il m'a proposé une augmentation de salaire.
Lucas :	*Wow, ça va bien, ton affaire!
Daniel :	Oui, c'est vrai. Et toi, Lucas, tu l'as rencontré aussi?
Lucas :	Moi, il m'a demandé ce que je comptais faire à la fin de mon stage. Il m'a dit...

UNITÉ 3

LEÇON 1

PAGE 48 ////////////////////////////// **PISTES 25 ET 26**

Une femme :	C'est de 19 h à 20 h 30, ça te tenterait de venir avec moi?
Un homme :	Tu sais, moi, je ne suis pas très doué.
Une femme :	Aucune importance, ça ne te plairait pas d'apprendre?

Femme A :	Oh, je sens que je vais avoir peur!
Femme B :	Et si on y allait en bateau? C'est agréable.
Femme A :	Oui, mais c'est plus long.

Un homme :	Ce serait *chouette d'inviter tout le monde.
Une femme :	Tu crois?
Un homme :	Évidemment, c'est une grande occasion.

Un homme :	Thomas n'est pas très content.
Une femme :	Pourquoi ne pas l'emmener avec toi?
Un homme :	Je ne sais pas... Et s'il refuse?

PAGE 49 ////////////////////////////// **PISTE 27**

La collègue :	Camille, ça te dirait de changer de bureau?
Camille :	*Ben non, je suis très bien ici, je n'ai aucune envie de changer de bureau.
La collègue :	Ce serait bien d'être plus près de la directrice, non?
Camille :	Pourquoi? Pour lui faire du café trois fois par jour?
La collègue :	Non, mais... Tu sais, dans mon bureau il y a une grande fenêtre. Ça ne te plairait pas de te faire bronzer en travaillant?
Camille :	Oui, c'est vrai que ce serait bien. Et puis bronzée, je suis magnifique!
La collègue :	Pourquoi ne pas changer demain matin alors?

Camille :	*C'est pas idiot ça! Ça me dirait bien de profiter du soleil l'hiver.
La collègue :	Tu verras, tu y seras très bien, tu n'auras jamais froid.
Camille :	Ça va me changer de mon bureau, qui est un vrai frigo.
La collègue :	Il faut quand même avertir la directrice, tu ne crois pas?
Camille :	Bien sûr. Et si on allait lui dire maintenant? Elle n'a pas de rendez-vous avant 15 h 30.
La collègue :	*C'est pas bête, le plus tôt sera le mieux.
Camille :	Mais au fait... pourquoi tu veux changer?
La collègue :	*Ben... Euh...

PAGE 50 //////////////////////////// **PISTE 28**

Un homme :	Pfff... j'en ai assez de ma vie, je changerais bien.
Une femme :	Et qu'est-ce que tu voudrais faire de plus?
Un homme :	J'irais bien en Australie... Je travaillerais dans une ferme...
Une femme :	Ce n'est pas un travail facile.
Un homme :	Oui, mais je vivrais en plein air, je serais en contact avec la nature, les animaux.
Une femme :	Avec les animaux, tu serais occupé toutes les fins de semaine.
Un homme :	Et alors? C'est quoi, le problème?
Une femme :	Eh bien là-bas, au bout de quelques mois, tu aurais envie d'aller à un concert, au cinéma ou au restaurant.
Un homme :	Peut-être, mais j'aimerais essayer.

LEÇON 2

PAGE 54 //////////////////////////// **PISTES 29 ET 30**

La mère :	Tu peux m'aider?
Le fils :	Toujours moi!
La mère :	Eh oui, si ce n'est pas toi, c'est ton frère.

———————

Une femme :	Ça t'embêterait de me donner un coup de pouce?
Un homme :	Bien sûr que non.
Une femme :	Bon alors termine, moi je rentre chez moi.
Un homme :	Non mais!

———————

Une femme :	Tu ne pourrais pas m'aider?
Un homme :	Tu sais bien que je suis *pourri.
Une femme :	Voyons, tu peux bien faire ça quand même!

———————

Homme 1 :	Tu veux bien arroser mes plantes en fin de semaine?
Homme 2 :	Euh... c'est-à-dire... euh...
Homme 1 :	Merci beaucoup, voilà mes clés!

PAGE 55 //////////////////////////// **PISTE 31**

Un jeune homme :	Bonjour, madame Rondeau.
Une femme :	Bonjour.
Un jeune homme :	J'aurais un service à vous demander.
Une femme :	Aucun problème, c'est pour quoi?
Un jeune homme :	Ma machine est en panne et toutes mes chemises sont sales, vous pourriez me les laver?
Une femme :	Mais bien sûr, je vais les mettre dans ma machine.
Un jeune homme :	Et... ça serait possible de les faire sécher sur votre balcon? Chez moi, il n'y a pas de soleil.
Une femme :	Pourquoi pas? C'est possible.
Un jeune homme :	Excusez-moi, mais... vous pourriez me rendre un dernier petit service?
Une femme :	Allez-y, j'écoute.
Un jeune homme :	Ça vous dérangerait de les repasser?
Une femme :	Vous poussez le bouchon, jeune homme!

PAGE 56 //////////////////////////// **PISTE 32**

La mère :	Oh non!
La fille :	Qu'est-ce qu'il y a, maman? Tu veux un coup de main?
La mère :	*Ben oui... J'ai complètement oublié d'acheter du pain. Tu veux bien y aller?
La fille :	Bien sûr, maman, je prends ta voiture?
La mère :	*C'est pas vraiment nécessaire, mais prends-la.
La fille :	*Ouais, *super!
La mère :	Ça te dérangerait de passer à la pharmacie? J'ai besoin d'un sirop pour la toux.
La fille :	D'accord, mais je peux m'acheter une crème pour bronzer?
La mère :	Oui, mais pas trop chère.
La fille :	Ah *t'es *cool!

| La mère : | Une dernière chose, à ton retour, tu ne pourrais pas ranger ta chambre? |
| La fille : | Ah non maman, ça c'est au-dessus de mes moyens! |

LEÇON 3

Page 60 //////////////////////////// **Pistes 33 et 34**

Femme 1 :	Je n'en peux plus, tous les soirs je reste jusqu'à 8 heures!
Femme 2 :	Tu devrais lui dire que tu as des enfants et qu'ils ont besoin de toi.
Femme 1 :	Il *s'en fout!

———————

Une femme :	Je ne sais plus quoi faire.
Un homme :	Si j'étais à ta place, je déménagerais.
Une femme :	Tu sais bien que c'est impossible!

———————

Le père :	Tu as vu tes notes? Tu pourrais travailler un peu plus.
La fille :	Je ne suis pas faite pour ça, c'est clair!
Le père :	Ah bon? Je croyais que c'était ta passion.

———————

La mère :	C'est quand même la troisième fois cette semaine.
Le fils :	Je suis fatigué en ce moment.
La mère :	Tu te coucherais plus tôt, tu n'aurais pas de problème.

Page 61 //////////////////////////// **Piste 35**

Femme 1 :	J'ai l'impression que ça ne va pas. Qu'est-ce que tu as?
Femme 2 :	C'est mon fils, il ne me parle plus, je ne sais pas pourquoi.
Femme 1 :	Tu devrais l'envoyer chez son père, ça lui ferait du bien.
Femme 2 :	Mais son père, il voyage tout le temps.
Femme 1 :	Si j'étais à ta place, je l'obligerais à s'occuper un peu plus de son fils.
Femme 2 :	Maintenant c'est trop tard, et mon fils est mon problème.
Femme 1 :	Tu pourrais peut-être en parler avec ses amis. Ils le connaissent bien.

Femme 2 :	Oui, mais moi je ne les connais pas, il a changé d'amis.
Femme 1 :	Dans ce cas-là, je te conseille d'aller voir un psychologue.
Femme 2 :	Tu crois?

UNITÉ 4

LEÇON 1

Page 68 //////////////////////////// **Pistes 36 et 37**

Femme A :	Elle t'a remboursé tes 300 dollars?
Femme B :	Non! Elle a dépassé les bornes, j'en ai assez maintenant!
Femme A :	Calme-toi. Elle a peut-être un problème.

———————

Un homme :	Tu me prêtes les clés de ta voiture?
Une femme :	Ah non! Ça suffit, tu veux toujours quelque chose. Trop c'est trop!
Un homme :	Bon bon... j'ai compris.

———————

Femme A :	Mais, qu'est-ce qui se passe, Sandra?
Femme B :	Je n'en peux plus! Il téléphone toute la journée... ça ne peut plus durer!
Femme A :	Je peux faire quelque chose pour toi?

———————

Un homme :	Alors, tu es admise?
Une femme :	Non! J'en ai plus qu'assez! J'en ai *ras le bol! Qu'est-ce que je vais faire maintenant?
Un homme :	*Ben... tu vas recommencer!

Page 69 //////////////////////////// **Piste 38**

Une femme :	Alors, tu as vu monsieur Bergeron? Vous vous êtes mis d'accord pour la vente de la maison?
Un homme :	Pas encore, je n'en peux plus! Chaque jour, il y a un nouveau problème. Il y a deux semaines, il voulait demander conseil à un ami. La semaine passée, il souhaitait rencontrer les voisins et, aujourd'hui, il refuse de signer parce qu'il veut encore réfléchir.
Une femme :	Ne t'énerve pas comme ça! Il va signer!

Un homme :	Mais tu ne comprends pas! Trop c'est trop! Depuis trois mois, il n'arrête pas de trouver de bonnes raisons pour retarder la vente. Ça suffit maintenant! On doit vendre cette maison le plus vite possible. On a déménagé il y a six mois, ça ne peut plus durer!
Une femme :	Ne te fâche pas! Mes parents peuvent nous aider si c'est nécessaire.
Un homme :	Non non non non non! S'il n'accepte pas de signer la semaine prochaine, je vais chercher un autre acheteur.
Une femme :	Je suis désolée de changer de conversation, mais... tu n'as pas envie d'aller au restaurant?
Un homme :	*Ben... oui... je ne sais pas... Pourquoi?
Une femme :	C'est mon anniversaire!

PAGE 70 /////////////////////////////// **PISTE 39**

La femme :	Stéphane, j'en ai assez, je voudrais que tu m'aides un peu plus à la maison!
Stéphane :	Mais qu'est-ce que tu veux que je fasse?
La femme :	D'abord, j'aimerais que tu ranges tes affaires.
Stéphane :	Bon, ça, je peux essayer.
La femme :	Mais ce n'est pas tout. Je voudrais aussi que tu fasses ta part, que tu fasses la cuisine de temps en temps, que tu ailles faire des commissions, que...
Stéphane :	Oh ça suffit! Toi non plus, tu n'es pas parfaite! Moi, je voudrais que...

LEÇON 2

PAGE 74 /////////////////////////////// **PISTES 40 ET 41**

Deux filles.

A :	Odile a réussi? Non! *Pour de vrai?
B :	Pas du tout. Elle est même arrivée troisième!
A :	Voyons donc... je n'en reviens pas!

_____

Une femme :	Tu savais que Mme Désilets va se marier?
Un homme :	Non? Tu me *niaises?
Une femme :	Pas du tout!
Un homme :	*T'es pas sérieuse?

_____

Deux garçons.

A :	J'ai rendez-vous avec elle ce soir.
B :	Tu te *fous de ma gueule!
A :	Mais oui, je te le jure!
B :	*Ouais, c'est ça!

_____

Deux femmes.

A :	Monsieur Tremblay! Quelle histoire! Je ne peux pas y croire!
B :	Pourtant c'est vrai, je vous le dis.
A :	C'est inimaginable... tout à fait incroyable! Il est tellement gentil!

PAGE 75 /////////////////////////////// **PISTE 42**

Laurence :	Ah, François! Tu connais la nouvelle?
François :	Non, qu'est-ce qui se passe?
Laurence :	On part tous à New York à la fin de semaine prochaine.
François :	Ce n'est pas possible! Tu ne peux pas être sérieuse!
Laurence :	Oui oui, c'est vrai. Le *boss veut qu'on aille à cette réunion de formation sur l'Accord Canada–États-Unis–Mexique...
François :	Mais qui y va?
Laurence :	Tout le bureau : nous deux, Christophe, Sandra, Mélanie, Mme Gagné et le patron.
François :	Ah non, *c'est pas croyable! J'ai enfin réussi à avoir un rendez-vous avec Sophie! On doit aller passer la fin de semaine au lac Brome!
Laurence :	Ce n'est pas vrai! Qu'est-ce que tu vas faire?
François :	Qu'est-ce que tu veux que je fasse, Laurence? Je n'ai pas le choix!

PAGE 76 /////////////////////////////// **PISTE 43**

Une femme :	Tu ne devineras jamais ce qui m'est arrivé aujourd'hui!
Un homme :	Quoi? Qu'est-ce qui t'est arrivé?
Une femme :	J'ai rencontré Nadia!
Un homme :	Non! Pas possible! Je croyais qu'elle habitait en Allemagne!
Une femme :	Elle est revenue, depuis deux ans. Je l'ai invitée à passer la fin de semaine avec nous.
Un homme :	Tu n'es pas sérieuse! Tu sais bien que je déteste qu'on passe toute la fin de semaine avec quelqu'un d'autre.
Une femme :	Oh, ce n'est pas grave!
Un homme :	Oui, c'est grave! Je n'aime pas que tu

prennes des décisions comme ça sans me demander mon avis!

Une femme : Et moi, je n'aime pas que tu...

LEÇON 3

PAGE 80 ////////////////////////// **PISTES 44 ET 45**

Une femme : Ah non, monsieur Perreault, je ne suis pas d'accord avec vous! D'après moi, il faut que nous pensions aux espaces verts maintenant.

Un homme : Personnellement, je pense que ce n'est pas urgent. On construit l'immeuble d'abord, et on verra ensuite.

———

Une femme A : Bon, vous êtes d'accord, on y va? Qui est pour?

Le groupe : Moi! moi! moi!

Une femme B : Moi, je suis contre, on y va tous les samedis, on pourrait changer un peu!

Un homme : Tu as raison, je suis de ton avis.

———

Un homme : Selon moi, elle est un peu jeune pour ce travail. Qu'en pensez-vous, madame Leclerc?

Une femme : Je ne partage pas votre opinion. Pour ma part, ce n'est pas un problème. Elle est compétente et je pense que c'est la seule chose importante.

———

Femme A : Alors, qu'est-ce que tu en penses? J'ai tort?

Femme B : Pour moi, vous avez tort toutes les deux. Ce n'est pas très intelligent de se disputer pour des choses comme ça. À mon avis, vous devriez faire la paix.

PAGE 81 ////////////////////////// **PISTE 46**

Le directeur : Alors, madame Roy, que pensez-vous de votre nouveau bureau?

Mme Roy : Il est très bien, monsieur le directeur, mais... d'après moi, il est nécessaire d'ajouter une lampe. Regardez, je ne vois pas ce qu'il y a dans mes tiroirs.

Le directeur : C'est vrai, vous avez raison. Je vais en parler au technicien. Mais... c'est agréable de travailler dans un bureau neuf?

Mme Roy : Oui, bien sûr, c'est très agréable. Mais... c'est dommage de tourner le dos à la fenêtre; et en plus, l'écran de mon ordinateur est au soleil, ce n'est pas pratique du tout.

Le directeur : Oui... je suis d'accord avec vous. On pourrait peut-être le tourner un peu. Qu'en pensez-vous?

Mme Roy : Je suis d'accord mais... personnellement, je pense que ce serait plus agréable de travailler face à la fenêtre.

Le directeur : Bon, d'accord! Et votre nouvel ordinateur, il vous plait?

Mme Roy : Très contente, monsieur le directeur. Ce serait bien sûr mieux d'avoir un écran plus grand, mais... tant pis.

Le directeur : Vous avez d'autres remarques, madame Roy?

Mme Roy : *Ben... est-ce que vous pensez qu'il serait possible de changer l'imprimante aussi? Celle-ci n'est pas très rapide, vous savez.

Le directeur : Je ne sais pas, on verra. Bon, au travail maintenant!

Mme Roy : Ah, monsieur le directeur, une petite chose encore, si vous permettez... Les collègues et moi... on se disait que ce serait pratique d'avoir une machine à café dans le bureau. C'est une bonne idée, non?

Le directeur : Je vais y réfléchir, madame Roy, je vais y réfléchir.

PAGE 82 ////////////////////////// **PISTE 47**

Le mari : Alice, *attends-moi pas pour souper ce soir, c'est possible que je sois obligé de travailler tard.

La femme : Tu n'es pas sérieux? On a invité les Lambert. Il est nécessaire que tu sois là. Je ne veux pas me retrouver seule avec eux!

Le mari : Annule, alors!

La femme : C'est préférable que tu le fasses toi-même. Ce sont tes amis.

Le mari : Oui, mais je n'ai pas le temps. Ce serait gentil que tu le fasses à ma place.

La femme : Non, là, tu exagères! C'est énervant que tu...

UNITÉ 5

LEÇON 1

PAGE 88 ////////////////////////// PISTES 48 ET 49

Jeune homme A : Et... tu l'as déjà invitée quelque part?

Jeune homme B : Oui, une fois; au cinéma.

Jeune homme A : Et alors?

Jeune homme B : Alors, elle a refusé.

————————

Femme A : Il y a encore quelqu'un dans la salle de réunion?

Homme : Oui, il y a le directeur et Mme Lavoie.

Femme A : Ah bon?

Femme B : Oui, ils parlent du nouveau stagiaire.

————————

Un homme : Tu as toujours quelque chose à faire le samedi?

Une femme : En général, oui. Je dois faire les commissions, le ménage...

Un homme : Et le dimanche?

Une femme : Je vais chez mes parents.

————————

Une femme : Vous jouez encore au golf quelquefois?

Un homme âgé : Oui, quelquefois, avec des amis. Moins souvent qu'avant, bien sûr.

Une femme : Mais pourquoi? Vous êtes en pleine forme!

Un homme âgé : En pleine forme, en pleine forme! J'ai 85 ans, vous savez.

PAGE 89 ////////////////////////// PISTE 50

A : Suzie! Tu as déjà envoyé les bons de commande?

Suzie : Non, je n'ai encore rien envoyé, mais je vais le faire.

A : Attends! Je dois encore ajouter quelque chose.

Suzie : Quoi?

A : On n'a plus rien pour l'imprimante. Il faut des cartouches d'encre et du papier.

Suzie : D'accord, je le note. Autre chose?

A : Je ne crois pas. Le problème, c'est que jamais personne ne signale quand il manque quelque chose. Quand on veut faire une commande, on ne sait jamais rien.

Suzie : Eh oui, pauvre toi! Je demande toujours aux secrétaires de me laisser des petites notes sur les bureaux pour savoir ce qu'il faut acheter, mais je n'en trouve jamais nulle part.

A : Elles disent qu'elles n'ont pas le temps, et que... ce n'est pas leur travail.

Suzie : Très bien, alors il ne faut pas qu'elles se plaignent quand il manque quelque chose!

PAGE 91 ////////////////////////// PISTE 51

Francis : Ah Dominic, salut! Tu écoutes le hockey à la télévision?

Dominic : Non, je n'écoute aucun match de hockey à la *télé.

Francis : Jamais?

Dominic : Non, jamais, ça ne m'intéresse pas.

Francis : Et... tu t'intéresses aux courses automobiles?

Dominic : Non plus. Et si tu veux tout savoir, Francis, eh bien je n'ai vu aucune course de ma vie.

Francis : Ça alors, c'est incroyable! Mais... tu ne regardes jamais rien à la *télé?

Dominic : Oui, bien sûr, mais pas le sport. Je...

LEÇON 2

PAGE 94 ////////////////////////// PISTES 52 ET 53

La professeure : Vous relevez tous les verbes du texte et vous les écrivez à l'infinitif. C'est clair?

Un élève : Oui madame, mais... on les écrit où?

La professeure : En bas de la page 2, sur le tableau. Tu comprends?

————————

Un jeune homme : Alors, je suis revenu à la caisse mais je n'avais pas la facture. Tu me suis?

Une jeune fille : Oui. Et la caissière, qu'est-ce qu'elle t'a dit?

Un jeune homme : Qu'elle ne pouvait pas me l'échanger.

————————

Une femme : Tournez à la deuxième rue à gauche et, à la lumière, tournez à droite. C'est bon?

Un homme : Je crois, mais... vous pourriez répéter depuis le début?

Une femme : Alors, vous allez tout droit jusqu'à la rue Sherbrooke; OK? Ensuite vous tournez à droite...

————————

Jeune homme A :	Quand j'ai vu que mon portemonnaie était vide, j'ai tout de suite eu des doutes. Tu saisis ?
Jeune homme B :	C'était la fille ?
Jeune homme A :	Oui. Elle est partie avec mes sous pendant que je discutais avec Marc.

PAGE 95 ////////////////////////////// **PISTE 54**

Maxime :	Voyons, Juliette, qu'est-ce qui t'arrive ? Tu as l'air bizarre.
Juliette :	Je viens d'avoir un accident.
Maxime :	Comment ça, un accident ? En voiture ?
Juliette :	Non, en vélo.
Maxime :	Qu'est-ce qui s'est passé ?
Juliette :	*Ben… j'étais sur la piste cyclable et, à l'intersection, je suis passée par le tunnel, mais il y avait de l'eau. C'est pourquoi j'ai dû prendre l'autre piste, celle qui va dans l'autre sens normalement. Tu me suis ?
Maxime :	À peu près, oui. Il y avait de l'eau sur la piste et donc tu as pris celle qui va à contresens ? C'est ça ?
Juliette :	Oui, c'est ça. Mais j'ai entendu un bruit de moteur, alors j'ai eu peur. Tu comprends ?
Maxime :	Oui, qu'est-ce que c'était ?
Juliette :	C'était une moto, c'est pour ça qu'il y avait du bruit dans le tunnel.
Maxime :	Alors, qu'est-ce que tu as fait ?

PAGE 97 ////////////////////////////// **PISTE 55**

Un journaliste :	Madame Buchanan, vous habitez au Québec depuis cinq ans, je crois. Est-ce que vous connaissez bien la province ?
Une immigrante :	Oui et non. Il y a tellement de choses à visiter au Québec que c'est difficile de tout connaitre.
Un journaliste :	Vous connaissez bien Montréal au moins ?
Une immigrante :	Oui, pas mal. C'est si agréable de se promener à pied en ville que je connais pas mal de quartiers ; les plus jolis, bien sûr. Je marche tellement ici que j'use toutes mes paires de souliers.
Un journaliste :	Quel quartier préférez-vous ?
Une immigrante :	Oh, c'est difficile de choisir, mais j'aime beaucoup le Plateau-Mont-Royal et Notre-Dame-de-Grâce.

Un journaliste :	Qu'est-ce qui vous intéresse dans une ville comme Montréal ?

LEÇON 3

PAGE 100 ////////////////////////////// **PISTES 56 ET 57**

Deux femmes.

A :	Qu'est-ce que c'est, ça ?
B :	*Ben, tu vois, c'est un genre de couteau un peu bizarre.
A :	Et à quoi ça sert ?
B :	Ça sert à éplucher les légumes.

_____

Deux hommes.

A :	Oh, c'est à toi ? Comment ça marche ?
B :	Doucement ! Il faut d'abord l'allumer.
A :	C'est fait. Me montrerais-tu comment on s'en sert ?
B :	D'accord, assois-toi.

_____

Un homme :	Pardon madame, je vous ai acheté cet appareil il y a deux jours, mais il n'y avait pas le mode d'emploi dans la boite.
Une femme :	Ah bon, c'est étonnant. En général, il est toujours dedans.
Un homme :	Oui, je comprends, mais…
Une femme :	Bien, attendez une minute, le monsieur va vous expliquer comment ça fonctionne.

_____

Une femme :	Pardon monsieur, vous savez comment on utilise la distributrice ?
Un homme :	*Ben… oui. Vous choisissez un produit et quand le prix est affiché vous mettez des pièces dans la fente à droite.
Une femme :	Oui, c'est ce que j'ai fait mais… ça ne marche pas.
Un homme :	Alors je suis désolé, je ne sais pas ce qu'il faut faire.

PAGE 101 ////////////////////////////// **PISTE 58**

Un jeune garçon :	Grand-papa, qu'est-ce que c'est la chose bizarre dans l'entrée ?
Le grand-père :	C'est un tourne-disque.
Un jeune garçon :	Et qu'est-ce qu'on fait avec ça ?
Le grand-père :	Quand j'étais très jeune, on s'en servait pour écouter de la musique.

Un jeune garçon :	Ah bon, et comment ça marche?
Le grand-père :	C'est facile. Tu tournes la manivelle une dizaine de fois, tu poses le disque sur le plateau, tu places l'aiguille sur le disque... et tu écoutes!
Un jeune garçon :	Ça marche avec des CD?
Le grand-père :	Mais non, il faut avoir des vieux disques. On appelait ça des trente-trois tours. C'était comme un CD mais noir, beaucoup plus grand et plus épais.
(bruit de porte)	
Une petite fille :	Oh grand-papa, le *machin chouette dans l'entrée, à quoi ça sert?
Un jeune garçon :	Ça sert à écouter de la musique! Tu es *nouille, toi!

PAGE 102 /////////////////////////////// **PISTE 59**

Noémie :	Philippe, ce *bidule-là, je peux le jeter?
Philippe :	Mais non! C'est à Pierre-Luc. Il s'en sert pour nettoyer sa voiture.
Noémie :	J'en ai assez de tous les *cossins qui trainent et qui ne servent à rien. Vous ne pouvez pas faire des efforts pour que l'appartement soit plus agréable à vivre? La colocation, c'est bien pour faire des économies, mais ça commence à me déprimer!
Philippe :	Voyons, Noémie, arrête! Ce n'est pas très grave, tout ça. Le désordre, ça n'a jamais tué personne!
Noémie :	Oui mais là, il y en a trop. Pour ne pas le voir, il faut être aveugle!
Philippe :	Bon, j'ai une idée. Histoire de te remonter le moral, je t'invite à souper au *resto.
Noémie :	Ça, c'est gentil! Mais je suis sure que tu fais ça seulement pour que j'arrête de chialer.
Philippe :	Mais non, c'est pour...

UNITÉ 1 //

LEÇON 1

Page 8, exercice 1: Une personne hésite, elle ne sait pas quoi choisir : Bof! Je ne sais pas trop... J'hésite... – Je n'arrive pas à me décider... je vais réfléchir... – Je n'en sais rien... je ne sais pas quoi choisir. – Eh bien... c'est-à-dire que... je vais voir...

Page 9, exercice 6: **1.** Il propose d'aller au cinéma, à la patinoire ou à la piscine. – **2.** Elle hésite et finalement elle refuse. – **3.** Au cinéma il y a trop de monde et il faut faire la queue. À la piscine, il faut se déshabiller et se rhabiller. À la patinoire, il fait froid. – **4.** Ils vont aller souper chez les parents de Mathieu.

Page 10, exercice 9 : **1.** C'est un couple – **2.** Ils parlent de la fête de l'homme et du cadeau qu'il souhaite recevoir. – **3.** Elle lui propose un beau livre ou une jolie montre. – **4.** Il hésite. Il ne sait pas exactement ce qu'il veut.

Page 12, exercice 13 : Qui peut faire du sport? – À quel âge peut-on faire du sport? – Pourquoi certains choisissent-ils un sport individuel? – Pourquoi d'autres choisissent-ils un sport collectif? – Quels sports les Canadiennes préfèrent-elles? Quels sports les Canadiens préfèrent-ils?

LEÇON 2

Page 14, exercice 1: Quelqu'un parle de ses projets : Et qu'est-ce que tu comptes faire? – Je pense y aller. – J'ai l'intention de l'acheter. – J'ai prévu de le lui dire demain. – Peut-être que je lui écrirai demain.

Page 15, exercice 6: **1.** Ce sont des amis. – **2.** La femme a l'intention de faire la grasse matinée et elle a prévu de magasiner avec son amie. – **3.** L'homme ira peut-être au cinéma.

Page 18, exercice 13: Quelles sont les trois possibilités qui s'offrent aux jeunes à la fin de l'école? – Qu'est-ce qui fait peur à tout le monde à notre époque? – Quels sont les avantages de ne pas faire d'études? – Quels sont les avantages des études longues? – Quels sont les avantages des études courtes?

LEÇON 3

Page 20, exercice 1: Le sentiment commun est l'admiration : Comme il est mignon! – Quel courage, il est vraiment extraordinaire! – Qu'est-ce qu'elle est belle! – Qu'il est gentil!

Page 21, exercice 6 : **1.** Les deux personnes sortent ce soir. Elles vont à une soirée. – **2.** La femme va mettre une robe bleue et des talons hauts noirs. – L'homme va porter des jeans, une chemise blanche et des chaussures brunes.

Page 22, exercice 10 : **1.** Ils vont aller visiter un musée, le Musée de la civilisation ou le nouveau pavillon du Musée des beaux-arts du Québec. Sarah décide. – **2.** Ça ne me dérange pas. – N'importe quoi. – Je m'en *fous. – N'importe lequel. – Peu importe lequel. – N'importe qui.

Page 24, exercice 14: Quel est le sujet de ce document? – À quels nouveaux droits les jeunes de 18 ans ont-ils accès au Québec? – Pourquoi pense-t-on que 16 ans n'est pas un bon âge pour voter? – Que peut-on faire à 16 ans? – À quelles élections suggère-t-on de faire participer les jeunes de 16 ans?

BILAN PAGES 26-27

Exercice 1: **1.** Je ne sais pas trop / j'hésite / je n'arrive pas à me décider. – **2.** Je me demande si c'est une bonne idée. – **3.** Je vais voir / Je vais réfléchir. – **4.** Si on n'y va pas (Si nous n'y allons pas), les enfants seront déçus / tristes. – **5.** Je compte / j'ai l'intention de / j'ai prévu de faire des travaux dans la maison. – **6.** Je changerai le sol / je peinturerai les murs / je réparerai... / je ferai... – **7.** Oui mais qu'est-ce que tu préfères? Un restaurant chinois ou un restaurant italien? – **8.** Et pour le cadeau, qu'est-ce qu'il aimerait (...voudrait)? / Qu'est-ce qui lui ferait plaisir / De quoi aurait-il envie? – **9.** Quelle idée! / Quelle idée géniale! – **10.** Comme il est beau ce poisson! / Qu'est-ce qu'il est beau ce poisson! – **11.** Peu importe / N'importe quand. – **12.** À la maison ou au café? Qu'est-ce que tu choisis? – **13.** N'importe lequel / Ça m'est égal / Peu importe, j'aime bien les deux.

Exercice 2: Phrase A: Reformulation 2. – Phrase B: Reformulation 1. – Phrase C: Reformulation 2.

UNITÉ 2 //

LEÇON 1

Page 28, exercice 1: Une personne encourage une autre personne à continuer son récit : Et alors? – Elle t'a souri? – Et après? – Et qu'est-ce que tu as fait?

Page 29, exercice 6: **1.** Sonia est tombée dans l'escalier. Elle s'est cassé la jambe droite, et elle s'est blessée au visage. **2.** Elle a mal aux dents. Elle s'est déjà cassé un bras. **3.** Hier, elle est allée chez le dentiste. – Elle est à l'hôpital depuis hier soir. – Elle sortira dans deux jours. – Elle s'est déjà cassé un bras l'année passée, il y a huit mois exactement. – La femme ira à l'hôpital dans une heure. – Sa fille fait de la danse depuis trois mois.

Page 31, exercice 10: **1.** Ces personnes parlent d'une auto accidentée. – **2.** La voiture qui était devant s'est arrêtée brusquement au feu rouge. – **3.** Le fils chantait, riait et faisait des selfies avec ses amies au moment du choc.

Page 32, exercice 13: Pourquoi les gens disent-ils que c'était mieux avant? – Que disent-ils à propos de la nourriture, des enfants et des relations humaines? – Que voudraient-ils voir revenir à l'école? – Quels avantages incontestables notre époque actuelle offre-t-elle?

LEÇON 2

Page 34, exercice 1: La première personne utilise un mot pour attirer l'attention de l'autre personne : Hé. – Tiens! – Écoute. – Tu sais.

Page 34, exercice 6: C'est un endroit charmant où il y a six jolis petits villages. Il y a aussi des fermes qui produisent du cidre et des fraises et l'île est entourée par le fleuve Saint-Laurent, on peut en faire le tour en bateau. On peut se promener dans les sentiers pédestres et il y a aussi beaucoup de petits commerces qui intéressent les touristes.

Page 35, exercice 8: La plage.

Page 36, exercice 10: **1.** Elles parlent d'un bracelet. – **2.** Parce que c'est sa mère qui le lui a donné quand elle était jeune. – **3.** Du bonheur et de la tristesse.

Page 38, exercice 14: Pouvez-vous expliquer ce qu'est la généalogie? – Que peut-on faire quand on a trouvé beaucoup d'informations sur ses ancêtres? – Pour quelles différentes raisons les Québécois s'intéressent-ils à la généalogie? – Qu'est-ce que la généalogie permet de découvrir dans le présent? – Comment les jeunes essaient-ils de connaitre leurs origines?

LEÇON 3

Page 40, exercice 1: Toutes les personnes demandent un renseignement : Vous savez… – Je voudrais savoir… – Pourriez-vous me dire… – Je peux vous demander…

Page 41, exercice 6: **1.** Les deux personnes sont un peu sourdes. – **2.** Elle dit qu'il a la grippe. – **3.** Je vous demande ce que vous faites ici. – Je vous demande comment vous allez. – Je vous dis que mon mari a la grippe. – Je dis que vous, vous devez être contagieuse! – Je vous demande si vous avez peur de la grippe.

Page 43, exercice 10: **1.** Les deux hommes parlent de leur entretien avec le directeur. – **2.** Il lui a demandé s'il voulait aller travailler dans l'agence de Granby et il lui a proposé une augmentation de salaire. – **3.** Il lui a demandé ce qu'il comptait faire à la fin de son stage.

Page 44, exercice 13: Le monde francophone comporte-t-il beaucoup de blogueurs? – Quel est le nombre de blogueurs dans le monde? – Que peut-on faire sur les blogues? – Qu'est-ce qui donne l'impression de dialoguer? – Que peut-on ajouter à son blogue? – Peut-on gagner de l'argent grâce aux blogues?

BILAN PAGES 46-47

Exercice 1: **1.** Je ne l'ai pas vue depuis un an. – **2.** Et qu'est-ce qu'elle t'a dit? / Et alors? / Et après? – **3.** Celui qui a fait des études de droit? – **4.** Et alors? / Et après? – **5.** C'est vrai? / Vraiment? / Sérieusement? – **6.** C'est vrai? / Vraiment? – **7.** Elle t'a demandé si j'étais marié / célibataire / j'avais une petite amie? – **8.** Elle t'a demandé où j'habitais? – **9.** Elle t'a demandé ce que je faisais? – **10.** Celui que tu adores / celui qui est aux fraises et au chocolat / celui que j'ai fait la dernière fois? – **11.** Celle qui a eu un accident / Celle qui s'est cassé la jambe? – **12.** Je l'ai rencontrée dans l'ascenseur.

Exercice 2: **1.** La plupart – **2.** Certains – **3.** d'autres – **4.** d'autres encore – **5.** Pour ma part / Personnellement / Quant à moi / En ce qui me concerne – **6.** beaucoup – **7.** Quelques-uns – **8.** Pour ma part / Personnellement – Quant à moi / En ce qui me concerne – **9.** quelques-unes – **10.** moi-même – **11.** plusieurs – **12.** aucun – **13.** Pour ma part / Personnellement – Quant à moi / En ce qui me concerne.

UNITÉ 3 ///////////////////////////////////////

LEÇON 1

Page 48, exercice 1: Toutes les personnes font des propositions : Ça te tenterait de… – Ça ne te plairait pas de… – Et si on y allait… – Ce serait chouette de… – Pourquoi ne pas…

Page 49, exercice 6: **1.** Elle lui propose de changer de bureau. – **2.** Camille n'a pas du tout envie de changer. – **3.** Il y a une grande fenêtre dans ce bureau, elle aura du soleil, elle pourra même se faire bronzer.

Page 50, exercice 9: **1.** Ce sont des amis. – **2.** Il aimerait changer de vie, aller en Australie, s'occuper d'animaux dans une ferme. – **3.** Elle pense qu'après quelques mois il aura envie d'aller au restaurant, au cinéma, au concert.

Page 52, exercice 13: Comment Sonia et Alexandre Poussin ont-ils choisi de vivre? – Où sont-ils allés avant d'avoir des enfants? – Que font-ils depuis 2014? Ce mode de vie est-il sans danger? – Comment faut-il préparer ce type de voyage? – Qu'est-ce qui peut être difficile pour les enfants qui partent à l'aventure avec leurs parents?

LEÇON 2

Page 54, exercice 1: Toutes les personnes demandent un service, de l'aide : Tu peux m'aider? – Ça t'embêterait de me donner un coup de pouce? – Tu ne pourrais pas m'aider? – Tu veux bien...?

Page 55, exercice 6 : **1.** Ils sont voisins. – **2.** Il lui demande de laver ses chemises, de les faire sécher et de les repasser. – **3.** Au début elle accepte, mais elle refuse de repasser ses chemises et elle s'énerve.

Page 56, exercice 9 : **1.** La fille est en âge de conduire. – **2.** La mère demande à sa fille d'acheter le pain, de prendre du sirop pour la toux à la pharmacie et de ranger sa chambre. – **3.** Elle accepte de rendre les deux premiers services parce qu'elle aime conduire la voiture de sa mère et qu'elle peut s'acheter une crème à la pharmacie. Mais elle refuse de ranger sa chambre.

Page 57, exercice 13: C'est une laveuse (ou une machine à laver).

Page 58, exercice 14: Qu'est-ce qu'une activité bénévole? – Quels sont les avantages, pour un nouvel arrivant, de pratiquer une activité bénévole? Pourquoi les employeurs apprécient les candidats qui font du bénévolat?

LEÇON 3

Page 60, exercice 1: Toutes les personnes donnent des conseils : Tu devrais... – Si j'étais à ta place, je... – Tu pourrais... – Tu te coucherais... tu n'aurais pas...

Page 61, exercice 6: **1.** Son fils ne lui parle plus. – **2.** Elle est divorcée et elle vit avec son fils. – **3.** Elle lui conseille de l'envoyer chez son père, d'obliger le père à s'occuper de son fils, de parler avec les amis de son fils et d'aller voir un psychologue.

Page 64, exercice 12: Quels sont les médias qui encouragent à changer d'apparence? – Que pouvons-nous changer facilement? – Pourquoi cela peut-il être utile? – Selon le document, quel rôle joue notre apparence? – Quels sont les doutes énoncés par le rédacteur du document?

BILAN PAGES 66-67

Exercice 1: **1.** Ça te plairait (ça te dirait) d'*aller au bord du fleuve.* / Ce serait plaisant de *se promener dans la forêt.* Non? / Ça ne te plairait pas (Ça ne te dirait pas) d'*aller faire un tour?* – **2.** Et si on allait *au cinéma?* – **3.** Non, je n'ai pas envie d'*y aller avec eux.* / Ah non, ce n'est pas une bonne idée! – **4.** J'aimerais bien / j'irais bien *visiter la nouvelle exposition du musée.* – **5.** Tu peux (tu pourrais) / tu veux bien / ça ne t'ennuierait pas) de *me donner un coup de main?* – Tu pourrais me rendre un petit service? – **6.** J'aimerais bien (Je voudrais bien) *ranger la cave.* –

7. Alors, tu pourrais m'aider à laver la voiture? – **8.** Oui, j'en ai besoin *toute la semaine.* – **9.** Tu devrais (tu pourrais) *le porter au garage.* / Si j'étais toi (si j'étais à ta place), *je le laisserais à l'atelier de réparation.* / Je te conseille de *le porter chez le garagiste.* – **10.** Tu devrais (tu pourrais) *demander de l'aide à ton voisin.* / Si j'étais à ta place (si j'étais toi) *je demanderais à Julien.* – **11.** Si j'étais à ta place (si j'étais toi) *je m'en achèterais un neuf.* – **12.** Non, pas encore. Qu'est-ce que tu me conseilles?

Exercice 2: **1.** Tout d'abord / D'abord – **2.** Pourtant / Mais / Cependant – **3.** De plus / Par ailleurs – **4.** C'est pourquoi / Donc – **5.** Ensuite / Puis – **6.** D'un côté – **7.** de l'autre – **8.** Bien sûr – **9.** mais – **10.** Enfin / Finalement – **11.** sauf / excepté – **12.** Par exemple – **13.** Finalement / Donc.

UNITÉ 4 ///

LEÇON 1

Page 68, exercice 1: La colère : Elle a dépassé les bornes. J'en ai assez. – Ça suffit. Trop c'est trop! – Je n'en peux plus! Ça ne peut plus durer! – J'en ai plus qu'assez! J'en ai *ras le bol!

Page 69, exercice 6: **1.** Elles parlent de la vente de leur maison. – **2.** Il est en colère parce que l'acheteur retarde toujours la date de l'achat. – **3.** Il y a deux semaines, il voulait demander conseil à un ami. La semaine dernière, il souhaitait rencontrer les voisins et aujourd'hui il refuse de signer parce qu'il veut encore réfléchir.

Page 70, exercice 10 : **1.** C'est un couple. – **2.** Elle n'est pas contente parce que son mari ne l'aide pas à la maison. – **3.** Elle voudrait qu'il range ses affaires, qu'il l'aide, qu'il fasse la cuisine de temps en temps et qu'il aille faire des commissions.

Page 72, exercice 13: Quels sont les problèmes du monde d'aujourd'hui? – Tous les gens sont-ils d'accord sur ces problèmes? – Quels sont les droits fondamentaux de chacun de nous? – Qui est surtout sensible aux problèmes causés par les guerres? – Que souhaitent les écologistes? – Que devrons-nous tous faire pour améliorer notre vie?

LEÇON 2

Page 74, exercice 1: La surprise : Non! Pour de vrai? Voyons donc... je n'en reviens pas! – Non? Tu me *niaises? *T'es pas sérieuse? – *Tu te fous de ma gueule! – Ouais, c'est ça! – Quelle histoire! Je ne peux pas y croire! C'est inimaginable... tout à fait incroyable!

Page 75, exercice 6: **1.** Deux collègues de travail. – **2.** Ils vont aller à New York à une réunion de formation sur l'Accord Canada–États-Unis–Mexique avec tous les collègues du bureau. C'est une décision du patron. – **3.** L'homme n'est pas content car il doit passer la fin de semaine avec une jeune fille et que c'est leur premier rendez-vous.

Page 76, exercice 9 : **1.** Ce sont deux personnes qui vivent ensemble, probablement un couple. – **2.** Elle a rencontré Nadia et elle l'a invitée à passer la fin de semaine avec eux. – **3.** Il n'est pas content parce qu'il n'aime pas qu'elle prenne des décisions comme ça sans lui demander son avis!

Page 78, exercice 13 : Qu'est-ce qui a changé dans la manière d'avoir des enfants? – Qu'est-ce que l'auteur de l'article pense de ce changement? – Qu'est-ce qui a permis ces changements? – Que peut-on faire aujourd'hui que l'on ne pouvait pas faire dans le passé? – Ces techniques sont-elles autorisées partout? – Quels sont les réels avantages de ces techniques?

LEÇON 3

Page 80, exercice 1 : Les gens donnent leur avis sur quelque chose ou sur quelqu'un ou demandent l'avis de quelqu'un : Je ne suis pas d'accord avec vous! D'après moi... Personnellement... Je pense que... – Vous êtes d'accord? Qui est pour? Je suis contre. Tu as raison, je suis de ton avis. – Selon moi... Qu'en pensez-vous, madame Leclerc? Je ne partage pas votre opinion. Pour ma part... Je pense que... – Qu'est-ce que tu en penses? J'ai tort? Pour moi, vous avez tort... À mon avis...

Page 81, exercice 6 : **1.** La scène se passe au bureau. Une employée, Mme Roy, parle avec le directeur. – **2.** Ils parlent de la nouvelle installation du bureau de Mme Roy. – **3.** Elle souhaite avoir une lampe de plus dans son bureau, travailler face à la fenêtre, avoir un écran d'ordinateur plus grand, changer d'imprimante et avoir une machine à café dans le bureau. – **4.** Pour la lampe et la place du bureau, il est d'accord; pour le reste, il va réfléchir.

Page 82, exercice 10 : Un couple discute. L'homme doit rentrer tard ce soir mais ils ont invité des amis à souper. Il faut leur téléphoner pour annuler la soirée, mais ni l'un ni l'autre ne veut le faire.

Page 84, exercice 13 : Au Québec, les magasins sont-ils ouverts ou fermés le dimanche? – Qu'est-ce qui a changé récemment en France? – Qu'est-ce qui est positif quand les magasins sont fermés le dimanche? – Est-ce que les commerces québécois profitent du droit d'être ouverts tous les jours? – Selon vous, l'auteur de l'article est-il pour ou contre l'ouverture des magasins le dimanche – Pourquoi? – D'après l'auteur, quelle place occupe la consommation dans la société d'aujourd'hui?

BILAN PAGES 86-87

Exercice 1 : **1.** Ce n'est pas possible! (J'en ai assez!) – **2.** J'aimerais *aller au restaurant.* (J'ai envie d'*aller au théâtre.*) – **3.** Je préfère qu'on y aille avec les enfants. (J'aimerais qu'on sorte tous ensemble.) – **4.** Ce n'est pas possible! (Ce n'est pas vrai! / C'est incroyable! / Pour de vrai?) – **5.** tu sais ce qui m'est arrivé? (tu ne devineras jamais ce qui m'est arrivé!) – **6.** Qu'est-ce que tu en penses? (Qu'est-ce que tu en dis?) – **7.** Je suis (tout à fait) d'accord. – **8.** tu as raison. – **9.** j'aimerais bien que tu fasses une tourtière. – **10.** Tu n'est pas sérieux(se)? (Tu me *niaises? / Pour de vrai?) – **11.** Tu as raison. / Je suis d'accord. / Non, trop c'est trop!) – **12.** qu'est-ce que tu en penses? (qu'est-ce que tu en dis?) – **13.** tu sois d'accord. (cette idée te plaise.) – **14.** suis contre. (ne suis pas d'accord.)

Exercice 2 : **1.** je pense que (je crois que / il me semble que) – **2.** à mon avis (d'après moi / selon moi) – **3.** Il me semble que (Je crois que/ Je pense que) – **4.** Je ne pense pas qu' – **5.** me parait (me semble) – **6.** Je la trouve – **7.** j'estime que (je pense que) – **8.** il est (important) que – **9.** Selon moi (D'après moi / À mon avis) – **10.** il est très difficile de – **11.** ce serait – que.

UNITÉ 5 ///

LEÇON 1

Page 88, exercice 1 : Deux informations : Tu l'as déjà invitée quelque part? – Il y a encore quelqu'un dans la salle de réunion? – Tu as toujours quelque chose à faire le samedi? – Vous jouez encore au golf quelquefois?

Page 89, exercice 6 : **1.** Deux collègues de bureau. – **2.** Elles parlent d'une commande de matériel de bureau. – *Constructions négatives :* Je n'ai encore rien envoyé – On n'a plus rien pour l'imprimante – Jamais personne ne signale... – On ne sait jamais rien – Je n'en trouve jamais nulle part.

Page 91, exercice 10 : **1.** Ils parlent du sport à la télévision. – **2.** Il est étonné parce que son ami ne regarde jamais le sport à la télévision.

Page 92, exercice 13 : Quelle tendance se développe aujourd'hui? – Pourquoi les écologistes sont-ils contre une forte consommation de viande de bœuf? – Que mangent ces animaux? – D'après le document, la consommation de viande est-elle toujours bonne pour notre santé? – Qu'est-ce que beaucoup de gens reprochent aux élevages d'animaux destinés à la consommation? – Comment la consommation de viande a-t-elle changé au cours des soixante dernières années? – Notre mode de consommation peut-il changer?

LEÇON 2

Page 94, exercice 1 : L'une des personnes qui parle s'assure que l'autre comprend bien ce qu'elle dit : C'est clair? Tu comprends? – Tu me suis? – C'est bon? OK? – Tu saisis?

Page 95, exercice 6 : **1.** Parce qu'elle a eu un accident. – Elle a eu un accident avec son vélo. Elle était sur la piste cyclable et, à l'intersection, elle est passée par le tunnel, mais il y avait de l'eau. Alors, elle a dû prendre l'autre piste, celle qui va dans l'autre sens normalement et elle a eu un accident avec une moto. – **3.** Donc – alors – c'est pourquoi.

Page 97, exercice 10 : **1.** Un journaliste et une immigrante. – **2.** Il veut savoir si elle connait bien le Québec et ce qu'elle aime dans cette province. – **3.** Elle aime beaucoup le Plateau-Mont-Royal et Notre-Dame-de-Grâce à Montréal.

Page 98, exercice 13 : Quand et pourquoi le tourisme s'est-il développé? – De quel type de tourisme cet article parle-t-il? – Qu'est-ce qui intéresse les touristes? – Pourquoi le tourisme est-il important? – Qu'est-ce que certaines personnes reprochent au tourisme? – Où le tourisme a-t-il, par exemple, des conséquences négatives? – Lesquelles?

<h2>LEÇON 3</h2>

Page 100, exercice 1 : Des personnes parlent du fonctionnement de quelques machines : Et à quoi ça sert? – Comment ça marche? Tu me montres comment on s'en sert? – Il n'y avait pas le mode d'emploi. Ce monsieur va vous expliquer comment ça fonctionne. – Vous savez comment on utilise la distributrice? Ça ne marche pas.

Page 101, exercice 6 : **1.** Les deux personnes sont un grand-père et son petit-fils. – **2.** Ils parlent d'un tourne-disque. – **3.** Il faut tourner la manivelle une dizaine de fois, poser le disque sur le plateau, placer l'aiguille sur le disque et écouter.

Page 102, exercice 9 : **1.** Les deux personnes sont des colocataires. – **2.** La jeune fille n'est pas contente parce qu'il y a toujours des choses inutiles qui trainent dans l'appartement. – **3.** Il l'invite au restaurant pour lui remonter le moral.

Page 104, exercice 13 : Où peut-on généralement acheter des objets d'occasion? – Comment évolue ce type de commerce? – Pourquoi certaines personnes préfèrent-elles acheter des produits d'occasion? – Quels sont les défauts de notre société de consommation? – Comment fonctionne la chaine de magasins Renaissance? – Qui bénéficie des revenus de cette organisation?

<h2>BILAN PAGES 106-107</h2>

Exercice 1 : **1.** il n'y a plus personne. – **2.** Il y a encore quelque chose à nettoyer? – **3.** Qu'est-ce que c'est? – **4.** Comment ça marche? – **5.** Non, je ne l'ai jamais vu nulle part. – **6.** À quoi ça sert? – **7.** il y a tellement de (tant de) nouveautés que je n'y comprends plus rien. – **8.** il n'y en a aucun. – **9.** Comment ça marche? (Comment ça fonctionne? On s'en sert comment?) – **10.** C'est si (tellement) pratique que je vais m'en acheter un. – **11.** il n'y a plus rien. – **12.** personne ne l'a encore achetée. – **13.** Nous travaillons tellement (tant) que je ne tiens plus debout.

Exercice 2 : **1.** Il n'y pas de doute [Il n'y a aucun doute /Sans aucun doute / Bien sûr / Évidemment / Absolument / Tout à fait / C'est évident (certain / sûr / clair / indiscutable / vrai / exact / tout à fait vrai)] – **2.** je suis (tout à fait) d'accord. – **3.** En aucun cas (Pas du tout. Absolument pas) – **4.** Il est évident (certain / sûr / clair / indiscutable / vrai) – **5.** pour. – **6.** Je comprends (Je reconnais) – **7.** mais – **8.** Donc (Alors / C'est pourquoi) – **9.** c'est impossible (ce n'est pas sérieux / je ne suis pas de cet avis) – **10.** Vous avez (sans doute / surement / peut-être) raison – **11.** mais **12.** pour que.

Crédits photographiques

Les lettres indiquent l'emplacement des images sur la page suivant l'ordre de haut en bas et de gauche à droite.

p. 10 : © arybickii / Adobe Stock • **p. 11 a :** © Rido / Adobe Stock ; **b :** © haveseen / Adobe Stock ; **c :** © Paul / Adobe Stock ; **d :** © savoieleysse / Adobe Stock ; **e :** © tolstnev / Adobe Stock • **p. 13 :** © Alan Mardi / Adobe Stock • **p. 16 a :** © Minerva Studio / Adobe Stock ; **b :** © Monkey Business / Adobe Stock ; **c :** © interstid / Adobe Stock ; **d :** © goodluz / Adobe Stock ; **e :** © pressmaster / Adobe Stock ; **f :** © Cyril PAPOT / Adobe Stock ; **g :** © Vladimir Gerasimov / Adobe Stock ; **h :** © slavun / Adobe Stock ; **i :** © foxyburrow / Adobe Stock ; **j :** © frappee / Adobe Stock • **p. 17 a :** © BillionPhotos.com / Adobe Stock ; **b :** © Francesco Scatena / Adobe Stock ; **c :** © Alexandra Karamyshev / Adobe Stock ; **d :** © Viorel Sima / Adobe Stock ; **e :** © nd3000 / Adobe Stock ; **f :** © Ammit / Adobe Stock ; **g :** © CandyBox Images / Adobe Stock ; **h :** © Gorodenkoff / Adobe Stock • **p. 19 a :** © yanik88 / Adobe Stock ; **b :** © selensergen / Adobe Stock ; **c :** © pikselstock / Adobe Stock ; **d :** © auremar / Adobe Stock ; **e :** © digitalskillet1 / Adobe Stock ; **f :** © Blickfang / Adobe Stock • **p. 20 :** pour les deux photos encadrées : beeboys / Adobe Stock ; **a :** © janvier / Adobe Stock ; **b :** © Diana Taliun / Adobe Stock ; **c :** © Elnur / Adobe Stock ; **d :** © ballabeyla / Adobe Stock ; **e :** © Mivr / Adobe Stock ; **f :** © fotosaga / Adobe Stock ; **g :** © eightstock / Adobe Stock ; **h :** © Alexandra Karamyshev / Adobe Stock ; **i :** © terex / Adobe Stock ; **j :** © arizanko / Adobe Stock ; **k :** © Akiko Nuru / Adobe Stock ; **l :** © vimax001 / Adobe Stock ; **m :** © Khvost / Adobe Stock ; **n :** © ljucita / Adobe Stock • **p. 23 :** © baranq / Adobe Stock • **p. 25 :** © Emmanuel / Adobe Stock • **p. 30 a :** © De Visu / Adobe Stock ; **b :** © Andriy Bezuglov / Adobe Stock ; **c :** © Svyatoslav Lypynskyy / Adobe Stock ; **d :** © Melashacat / Adobe Stock ; **e :** © Patryssia / Adobe Stock ; **f :** © auremar / Adobe Stock • **p. 31 a :** © dan talson / Adobe Stock ; **b :** © ozgur / Adobe Stock ; **c :** © Kaspars Grinvalds / Adobe Stock ; **d :** © Werner / Adobe Stock • **p. 33 a :** © imrek / Adobe Stock ; **b :** © jetrel2 / Adobe Stock ; **c :** © sirirak / Adobe Stock ; **d :** © poplasen / Adobe Stock • **p. 37 a :** © Vasyl / Adobe Stock ; **b :** © Urupong / Adobe Stock ; **c :** © PuntoStudioFoto Lda / Adobe Stock ; **d :** © zinkevych / Adobe Stock ; **e :** © Rido / Adobe Stock ; **f :** © kadosafia / Adobe Stock • **p. 42 a :** © Yakobchuk Olena / Adobe Stock ; **b :** © JPC-PROD / Adobe Stock ; **c :** © ulianna1970 / Adobe Stock ; **d :** © Ljupco Smokovski / Adobe Stock • **p. 45 :** © fizkes / Adobe Stock • **p. 50 a :** © Dusan Kostic / Adobe Stock ; **b :** © natalialeb / Adobe Stock • **p. 51 :** © PackShot / Adobe Stock • **p. 53 a :** © 3000ad / Adobe Stock ; **b :** © FedevPhoto / Adobe Stock • **p. 56 :** © Photographee.eu / Adobe Stock • **p. 57 a :** © noraismail / Adobe Stock ; **b :** © pathdoc / Adobe Stock ; **c :** © Drobot Dean / Adobe Stock • **p. 59 a :** © De Visu / Adobe Stock ; **b :** © Gina Sanders / Adobe Stock ; **c :** © JackF / Adobe Stock; **d :** © zinkevych / Adobe Stock ; **e :** © Fotos 593 / Adobe Stock ; **f :** © Miredi / Adobe Stock • **p. 61 a :** © Gino Santa Maria / Adobe Stock ; **b :** © chambo4ka / Adobe Stock • **p. 63 a :** © fotofabrika / Adobe Stock ; **b :** © Raisa Kanareva / Adobe Stock • **p. 65 a :** © Kalim / Adobe Stock ; **b :** © auremar / Adobe Stock • **p. 70 :** © veles_studio / Adobe Stock • **p. 71 :** © Elnur / Adobe Stock • **p. 73 :** © mario beauregard / Adobe Stock • **p. 77 a :** © Kzenon / Adobe Stock ; **b :** © Syda Productions / Adobe Stock ; **c :** © Svyatoslav Lypynskyy / Adobe Stock ; **d :** © Mike Fouque / Adobe Stock ; **e :** © DURIS Guillaume / Adobe Stock ; **f :** © Mike Fouque / Adobe Stock ; **g :** © Robert Kneschke / Adobe Stock ; **h :** © Ulia Koltyrina / Adobe Stock ; **i :** © igorsinkov / Adobe Stock ; **j :** © marvlc / Adobe Stock ; **k :** © donnacoleman / Adobe Stock ; **l :** © Kzenon / Adobe Stock • **p. 79 a :** © Photobank / Adobe Stock ; **b :** © yuriyzhuravov / Adobe Stock • **p. 82 a :** © Uros / Adobe Stock ; **b :** © VadimGuzhva / Adobe Stock ; **c :** © Jag_cz / Adobe Stock ; **d :** © justesfir / Adobe Stock ; **e :** © nd3000 / Adobe Stock ; **f :** © Aleksey / Adobe Stock • **p. 83 :** © Michele / Adobe Stock • **p. 85 :** © auremar / Adobe Stock • **p. 89 :** © science photo / Adobe Stock • **p. 90 a :** © georgerudy / Adobe Stock ; **b :** © yellowj / Adobe Stock • **p. 91 :** © dmitriisimakov / Adobe Stock • **p. 93 :** © Bettapoggi / Adobe Stock • **p. 96 a :** © yelantsevv / Adobe Stock ; **b :** © Jürgen Fälchle / Adobe Stock • **p. 99 :** © contrastwerkstatt / Adobe Stock • **p. 101 :** © Pavel / Adobe Stock • **p. 102 :** © @dantepetrone / Adobe Stock • **p. 105 :** © crazymedia / Adobe Stock